Aschenblüten

MARY HOOPER

Aschenblüten

Aus dem Englischen
von Bettina Bach

Bloomsbury

Kinderbücher & Jugendbücher

Die Originalausgabe erschien 2004 unter dem Titel
Petals in the Ashes
bei Bloomsbury Publishing Plc, London
© 2004 Mary Hooper
Für die deutsche Ausgabe
© 2005 Berlin Verlag GmbH, Berlin
Bloomsbury Kinderbücher & Jugendbücher, Berlin
Alle Rechte vorbehalten
Umschlaggestaltung:
Nina Rothfos & Patrick Gabler, Hamburg
Typografie: Renate Stefan, Berlin
Gesetzt aus der Stempel Garamond und der
Zapf Chancery
durch Offizin Götz Gorissen, Berlin
Druck und Bindung: Clausen & Bosse, Leck
Printed in Germany 2005
ISBN 3-8270-5045-6

Für Brenda, Hilary, Pat, Terry und den Jahrgang 1990

KAPITEL I

Die Reise

»DER EINZIGE WUNSCH EINES SATTLERS,
DESSEN ÄLTERE KINDER ALLESAMT AN DER PEST
GESTORBEN WAREN, WAR,
DAS LEBEN SEINES VERBLIEBENEN SÄUGLINGS
ZU RETTEN, UND ER SORGTE DAFÜR,
DASS DIESER VOLLKOMMEN NACKT IN DIE ARME
EINES TREUEN FREUNDES GELANGTE.«

*W*ach auf, Hannah!«, sagte Sarah und rüttelte mich ein wenig an der Schulter. »Binde dein Haar zusammen … Und könntest du dir vielleicht ein bisschen Wasser aus der Flasche ins Gesicht spritzen? Wir wollen nicht wie zwei verwahrloste Küchenmägde aussehen, wenn wir zu Myladys Haus kommen.«

Mühsam schlug ich die Augen auf und sah meine Schwester an, die mir gegenüber in der Kutsche saß und Grace, das schlafende Baby, in den Armen hielt. Ich gähnte ausgiebig.

»Und halte beim Gähnen die Hand vor den Mund«, sagte Sarah, »sonst denkt Lady Jane noch, dass wir überhaupt keine Manieren haben.«

Aber ich gähnte einfach noch einmal und schloss die Augen wieder, weil es mich zu viel Mühe kostete, sie offen zu halten. Nach beinahe drei Tagen auf der Straße und zwei Nächten in Wirtshäusern am Wegesrand, mit Grace, die die meiste Zeit Hunger hatte und schrie wie am Spieß, konnten mich weder das ständige Gerüttel der Kutsche und das Klappern der harten Räder auf der holprigen Straße noch das anhaltende Trappeln der Pferdehufe vom Schlafen abhalten.

9

Verschwommen und wie aus der Ferne nahm ich wahr, dass Sarah sich an Mr. Carter, unseren Kutscher, wandte. »Ist es noch sehr weit bis Dorchester?«, rief sie ihm zu, doch seine Antwort wurde vom Klappern, Klirren und Rasseln übertönt.

London schien weiter weg zu sein als nur eine Dreitagereise. Alles war schon so anders. Wenn ich zwischen den Vorhängen unserer Kutsche hervorspähte, sah ich keine Leichen auf der Straße liegen, auf den Türen gab es keine Kreuze, ich hörte nicht die Schreie derer, die in übel riechenden Häusern eingeschlossen waren, und nirgends fuhren Totenkarren, die ausgezehrte Leichen zu den Pestgruben brachten. Man sah nur Felder und Vieh und gelegentlich Dörfer, und die endlos lange, staubige Straße, die uns schonungslos durchrüttelte.

Die Zeit, als wir in London gelebt hatten, bedroht von der schrecklichen Pest, die viele unserer Freunde und Nachbarn in den Tod gerissen hatte, schien sehr weit weg zu sein, so als wäre das alles in einem anderen Leben geschehen.

Meine liebe Freundin Abby war Kindermädchen in einem der herrschaftlichen Häuser gewesen. Als dieses Haus der Pest zum Opfer fiel und für vierzig Tage zugesperrt wurde, steckten sich die Bewohner einer nach dem anderen damit an und starben. Am Ende war nur noch Abby am Leben – und Grace, der Säugling, um den sie sich kümmerte. Als Abby ebenfalls erkrankte, vertraute sie uns das Baby an. Meine

Schwester Sarah und ich hatten Grace heimlich aus dem Haus geholt und brachten sie jetzt mit Hilfe der Gesundheitsbescheinigungen, die für Abby und ihre Herrin Mrs. Beauchurch gedacht gewesen waren, zu ihrer Tante, der Schwester ihrer Mutter, Lady Jane Cartmel in Dorchester.

Ich war wohl wieder eingenickt, denn das Nächste, was ich wahrnahm, war, dass Sarah mich am Arm rüttelte. »Hast du schlecht geträumt?«, fragte sie mich. »Du hast etwas vor dich hin gemurmelt und dich hin und her geworfen.«

Ich hob meinen Kopf, der nach vorn gesackt war, und schauderte. Ich hatte tatsächlich etwas geträumt, und es war kein angenehmer Traum gewesen. Abby hatte so vor mir gestanden, wie ich sie zuletzt gesehen hatte, den Körper von Pestflecken entstellt. Sie hatte mir die kleine Grace hingehalten. Doch ich konnte das Baby nicht festhalten, als ich nach ihm griff, wurde es zart und klein wie ein Wechselbalg, schlüpfte mir durch die Finger und schwebte durch die Luft davon. Abby und ich sahen zu, wie Grace an uns vorbeiglitt, und weinten zusammen.

»Ich habe von Abby geträumt«, sagte ich zu Sarah, und meine Augen füllten sich mit Tränen. »Und von Grace. Ich habe versucht, sie zu halten, aber sie ist einfach davongeschwebt.«

Sarah warf mir einen mitleidigen Blick zu. »Aber jetzt ist Grace gut aufgehoben«, sagte sie und verzog das Gesicht. »Keiner, der ihr Geschrei gehört hat, würde daran zweifeln.« Sie beugte sich quer durch die Kutsche zu mir herüber und strich mir über den Arm. »Und Abby hat jetzt ihren Frieden, ohne Schmerzen und ohne Pest. Vielleicht wacht sie ja sogar über uns, damit wir gut für Grace sorgen.«

Ich unterdrückte meine Tränen und nickte. »Ich mache mir nur Sorgen, dass sie vielleicht nicht genügend Milch bekommt«, sagte ich. Wir hatten zwar Flaschen mit Eselsmilch dabei, doch wir wussten natürlich, dass das kein Ersatz für Muttermilch war. »Vielleicht gibt es in dem großen Haus ja eine Amme, die sie richtig versorgen kann.«

»Natürlich gibt es eine«, sagte Sarah und nickte. »Lady Jane hat sich bestimmt auf unsere Ankunft vorbereitet. Es gibt dort sicher eine echte Amme und eine Zofe und eine Kinderstube, und vielleicht sind sogar ein paar kleine Cousins und Cousinen da, mit denen Grace spielen kann. Das arme Ding braucht auch Kleidung – das kleine Stück Tuch, in das wir sie gewickelt haben, ist alles, was sie hat.«

Als wir Grace durch das Fenster aus dem pestverseuchten Haus herausgeholt hatten, war sie nackt gewesen, damit sie frei von Pestkeimen war. Wir hatten sie in ein weiches Leintuch gewickelt, das wir mitgebracht hatten, doch davon hatten wir im Lauf der Reise Streifen abreißen müssen, die wir als Windeln benutzten, so dass es inzwischen auf ein Viertel seiner ursprünglichen Größe geschrumpft war.

»Wenn die Fahrt noch lange dauert, kommt es noch

so weit, dass wir unsere eigenen Hemden für sie zerreißen«, sagte ich.

Sarah rückte auf ihrem Sitz näher zu mir. »Kannst du sie mir einen Augenblick abnehmen, Hannah? Ich möchte mich ein wenig zurechtmachen. Mr. Carter sagt, dass wir beinahe schon da sind, und ich möchte ordentlich aussehen.«

»Sind wir wirklich endlich da?«

Sarah warf einen Blick aus dem Fenster. »Beinahe. Er sagte, wir wüssten, dass wir da sind, wenn wir in einen Park mit vielen schönen und seltenen Bäumen einbiegen.«

»Und das muss er sein!«, sagte ich, denn rechts und links von uns sah ich, so weit das Auge reichte, viele schöne, alte Bäume mit goldenen, lindgrünen, smaragdenen, bernsteinfarbenen und tiefroten Blättern.

Ich nahm meiner Schwester Grace vorsichtig ab und achtete dabei darauf, dass ihr kleiner runder Kopf sicher in meiner Hand lag. Sie war ein hübsches Baby mit zarter blasser Haut, dichtem dunklem Haar und Augen so blau wie Vergissmeinnicht. Ich hatte ihre Mutter, Mrs. Beauchurch, nie gesehen, doch Abby zufolge ähnelte sie eher ihr als Mr. Beauchurch, den sie einmal als rotgesichtigen Trottel mit Knollennase beschrieben hatte. Doch Graces Eltern waren jetzt beide bei Gott, rief ich mich zur Ordnung, und es war nicht richtig, schlecht von Toten zu sprechen. In der Tat würde ich, wenn Grace groß war und mich je fragte, was ihr Vater für ein Mann gewesen sei, lügen und behaupten, dass er so schön war wie ein Märchenprinz und alle vornehmen Eigenschaften in sich vereinte, die man sich nur denken konnte.

Da wir uns unserem Ziel näherten, begann ich mich zu fragen, was für einen Empfang Lady Jane uns bereiten würde. »Mylady wird bestimmt froh sein, wenn ihre kleine Nichte bei ihr in Sicherheit ist«, sagte ich zu Sarah, die gerade aufgestanden war, sich an den Haltegurten in der Kutsche festhielt und versuchte, die Falten aus ihrem Kleid herauszubekommen. »Glaubst du, dass sie uns dafür belohnen wird?«

»Hannah!«, sagte Sarah vorwurfsvoll. »Wir tun es nicht des Geldes wegen. Dass wir Grace das Leben retten und selbst sicher aus London herauskommen, ist schon Belohnung genug.«

»Ja, aber es könnte ja trotzdem sein, dass sie uns eine Belohnung gibt …«

Sarah lächelte ein wenig. »Ja, das könnte sein.«

»Ich frage mich, ob sie uns als Gesellschafterinnen bei sich in dem großen Haus behält. Oder meinst du, sie wird uns wie Bedienstete behandeln?«

Sarah zuckte die Achseln. »Ich habe keine Ahnung. Wir wissen nichts von ihr. Wir wissen nicht, ob sie einen großen Hausstand oder eigene Kinder hat. Wir wissen nicht einmal, wie alt sie ist.«

»Ganz sicher wird sie uns so dankbar sein, dass sie uns wie Familienangehörige behandelt und in ihrem vornehmen Haus schöne Zimmer mit Himmelbetten gibt.«

»Wenn wir da sind, werde ich eine Woche lang nur schlafen, ganz egal, wie unsere Zimmer aussehen«, sagte Sarah und rieb sich den Nacken. »Ich könnte schwören, dass ich von dem ganzen Gerüttel in diesem Kasten hier voller blauer Flecke bin.«

»Abby hat mir erzählt, dass das Haus neu gebaut ist«, sagte ich, »und dass es einen Raum gibt, der nur zum Baden da ist, mit kaltem und warmem Wasser, das aus einem Hahn in der Wand kommt.«

Sarah machte große Augen. »Wirklich? So etwas habe ich noch nie gehört.«

Nachdem ich eine Weile über dieses Wunder nachgedacht hatte, wanderten meine Gedanken wieder nach London zurück. Und von London natürlich zu Tom, meinem Liebsten. »Was glaubst du, wie lange wir wohl in Dorchester bleiben müssen?«, fragte ich.

Sarah zuckte die Achseln. »Bis wir hören, dass London von der Pest befreit ist. Wenn wir erfahren, dass der König und sein Hof nach London zurückgekehrt sind, werden wir wissen, dass es dort sicher ist.«

»Und dann wird uns Mylady für die Rückreise vielleicht eine herrschaftliche Kutsche geben, und wir können unterwegs in Chertsey Halt machen und unsere Familie besuchen«, sagte ich. Aber wir würden uns nicht zu lange dort aufhalten, dachte ich bei mir, denn ich würde es nicht erwarten können, zu Tom zurückzukehren.

»Wir müssen darum beten, dass Chertsey und unsere Familie von der Pest verschont bleiben«, sagte

Sarah ernst. »Man sagt nämlich, dass die Seuchen, die London treffen, sich im folgenden Jahr von dort aus weiterverbreiten.«

Bei diesen Worten verfiel ich in Schweigen, denn ich konnte den Gedanken nicht ertragen, dass die Pest sich ausbreitete und meine Familie ansteckte ..., dass mein Vater, meine Mutter, meine Brüder und meine Schwester heimgesucht wurden. War es nicht mehr als genug, dass in London so viele gestorben waren, dass ihre Leichen auf der Straße verwesten, weil nicht genügend Leute da waren, um sie zu beerdigen? Hatten nicht alle schon genug gelitten?

»Highclear House!«, rief Mr. Carter plötzlich, und Sarah und ich rutschten schnell zum Fenster, um hinauszuschauen und uns unser neues Zuhause anzusehen.

Als wir das Haus sahen, blieb uns vor Staunen der Mund offen stehen. Hohe weiße Marmorsäulen standen rechts und links des Eingangs, eine elegante Treppe führte zur Haustür hinauf, und das Haus war unglaublich groß und prachtvoll. Eine breite Auffahrt mit Kieselsteinen führte an der Vorderseite des Hauses vorbei. In der Mitte stand ein Springbrunnen, dessen Wasser sprühend in die Höhe stieg, die Sonnenstrahlen auffing und einen Regenbogen erscheinen ließ.

Ich starrte Highclear House voller Bewunderung an und dachte bei mir, dass ich noch nie in meinem Leben ein vornehmeres Haus als dieses und noch nie

etwas Schöneres als den Regenbogen über dem Springbrunnen gesehen hatte.

»Es war mir nicht klar, dass es so vornehm ist!«,
sagte Sarah, als wir genug gestarrt und gestaunt hatten
und wieder sprechen konnten.

»Und wir haben nichts anderes als die Kleider, die
wir am Leib tragen!«, jammerte ich und versuchte
meine widerspenstigen Haare zu glätten und meine
Haube mit der freien Hand zurechtzurücken. »Und
ich habe nicht einmal mein bestes Kleid an. Ich hätte
mein grünes Taftkleid anziehen sollen!«

Als die Kutsche stehen blieb, wachte Grace auf und
versuchte sich aufzusetzen, als wüsste sie, dass sie bei
ihrer neuen Wohnstätte angelangt war. Ich konnte es
kaum erwarten, aus der Kutsche herauszukommen,
beugte mich vor und wollte den Schlag bereits selbst
öffnen, als Sarah mir bedeutete, mich wieder zu setzen.

»Überlass das Mr. Carter«, sagte sie. »Er ist es so
gewohnt.«

Also blieben wir sitzen und warteten, dass Mr.
Carter von seinem hohen Kutschbock stieg und die
Zügel festband, ehe er zu uns kam, um den Schlag zu
öffnen und die Trittstufen herabzulassen. Sarah stieg
als Erste aus, und ich übergab ihr Grace, stieg dann
selbst aus der Kutsche und sah mich um. Das prächtige
Haus stand vor einem weitläufigen Park, und in der
Ferne lag etwas, das aussah wie ein See. Lady Janes
Mann, dachte ich bei mir, musste ungeheuer reich sein.

»Was sollen wir jetzt tun?«, flüsterte ich Sarah zu,

als ich ihr Grace wieder abnahm. »Zur Tür gehen und anklopfen?«

»Ich weiß es nicht«, antwortete Sarah unsicher.

Wir dankten Mr. Carter dafür, dass er uns hierher gebracht hatte, und er verabschiedete sich von uns und führte die Pferde mitsamt Kutsche die Auffahrt entlang zur Rückseite des Hauses. Einen Augenblick später wurde die riesige Flügeltür geöffnet und eine schwarz gekleidete Frau eilte die Treppenstufen hinunter.

»Mrs. Beauchurch!«, rief sie aus, und in ihrer Stimme schwang so etwas wie Freude mit. Dann kam sie zu uns und blieb abrupt stehen. »Oh, Ihr seid ja gar nicht...«

»Nein. Nein, das sind wir tatsächlich nicht«, sagte Sarah, während ich dumm herumstand und nicht wusste, ob ich vor dieser Frau einen Knicks machen oder ob sie eigentlich vor mir knicksen sollte. War sie eine Dienstmagd? Oder war es Lady Jane? Doch es konnte nicht Lady Jane sein, überlegte ich, denn diese Frau war recht einfach gekleidet. Ihr Kleid aus schwarzem Moiré wirkte fast wie ein Trauerkleid, und es lag nur eine einfache Perlenkette um den hohen Rüschenkragen.

Die Frau versuchte einen Blick ins Innere der sich entfernenden Kutsche zu erhaschen. »Ist sie denn nicht bei Euch?«

»Nein, wir...« Sarah warf mir einen hilfesuchenden Blick zu, doch ich wusste nicht, was ich sagen sollte, und tat darum so, als hätte ich alle Hände voll damit zu tun, die kleine Grace zu beruhigen. Darauf waren wir nicht gefasst: dass die Familie in Dorchester nicht wusste, dass ihre Angehörigen in London gestorben waren und dass Fremde ihnen Grace brachten.

»Mrs. Beauchurch ist …, ist nicht bei uns«, sagte Sarah zögernd. Sie deutete auf Grace. »Aber dies ist ihr Kind. Wir haben es aus London hergebracht.«

Beim Wort »London« wich die Frau zwei Schritte zurück, und mir fiel auf, dass sie dabei ein wenig hickste.

»Aber wir sind gesund und wohlauf!«, fügte ich schnell hinzu.

»Könnten wir Lady Jane sprechen?«, fragte Sarah.

Ohne ein Wort zu sagen, drehte sich die Frau um, stürzte wieder ins Haus und ließ uns draußen stehen wie Hausierer, die Bänder verkaufen wollen.

Ein paar Minuten lang standen wir einfach nur da und warteten. Grace begann laut zu weinen, und ich ging mit ihr zum Springbrunnen, um sie zu beruhigen. Sie sah den herabfallenden Wassertropfen zu und ließ sich davon ablenken, hielt die Hände auf, als wolle sie versuchen, sie zu fangen, und gab lustiges Gebrabbel von sich.

»Hannah!«, rief mich Sarah plötzlich, und als ich mich umdrehte, sah ich die Frau in Schwarz zusammen mit einer anderen Frau aus dem Haus kommen. Auf den ersten Blick erkannten wir, dass es sich um

Lady Jane handeln musste. Sie war zwar nicht groß, aber mit ihrem hellen Haar, das auf dem Kopf zu Hunderten von Löckchen aufgesteckt war, wirkte sie dennoch eindrucksvoll. Sie war nach einer Mode gekleidet, die ich bei den Leuten von Stand in London gesehen hatte, und trug ein tief ausgeschnittenes kirschrotes Seidenkleid mit Blümchenmuster, viel goldener Spitze am Oberteil und einem großen Schlitz im Rock, aus dem eine Wolke von Unterröcken hervorlugte. Sie hielt einen Blumenstrauß in der Hand, an dem sie immerzu schnupperte, während sie mit uns sprach.

Instinktiv knicksten Sarah und ich, als sie vor uns stand.

»Wer seid Ihr?«, fragte sie scharf.

Das war nicht die Begrüßung, die wir uns erhofft hatten, und wir wussten nicht recht, wo wir mit unserer Geschichte beginnen sollten.

»Wo ist meine Schwester? Wo ist Mrs. Beauchurch?«, fragte sie in vorwurfsvollem Ton, als könnten wir ihr die Kutsche entwendet haben, um sie selbst zu benutzen.

»Habt Ihr uns denn nicht erwartet?«, fragte Sarah.

»Ich habe meine Schwester erwartet«, lautete ihre Antwort. »Ich habe Carter mit meiner Kutsche dorthin geschickt, und er hat mehr als zwei Wochen darauf gewartet, dass ihr Fieber sich bessert, damit er sie aus London herausholen kann.«

»Sie ist …«, begann Sarah, doch ich unterbrach sie.

»Der Brief!«, drängte ich. »Gib Lady Jane den Brief.«

Sarah sah mich an und kramte dann in der Segeltuchtasche herum, die sie trug. »Dieser Brief«, sagte sie und hielt ihn Lady Jane entgegen, »ist von Eurer Schwester. Ihr werdet ihre Handschrift erkennen.«

Lady Jane und die andere Frau wichen zurück. »Ich will ihn nicht berühren!«, sagte Lady Jane. »Lest ihn mir bitte vor, wenn Ihr es könnt.«

»Ich kann es«, sagte Sarah und fügte sanft hinzu: »Und das, was Ihr gleich hören werdet, tut mir sehr Leid.« Dann las sie den Brief vor, den Abby mir gegeben hatte.

Liebe Hannah!

Im Namen des Allmächtigen bitte ich Euch und flehe Euch an, nach Erhalt dieses Briefes mein Kind Grace zu Euch zu nehmen und sie schnellstmöglich zu meiner Schwester, Lady Jane, im Highclear House, Dorchester, zu bringen. Noch ist mein Kind gesund und munter, aber es wird ganz gewiss umkommen, wenn es in diesem todgeweihten Haus bleibt. Es sind Gesundheitsbescheinigungen für Euch und Eure Schwester da, allerdings müsst Ihr unter meinem Namen und dem von Abigail reisen. Es ist ebenfalls für eine Kutsche gesorgt worden, die jeden Tag beim Adler und Kind *in der Gracechurch Street auf Euch warten wird. Der Kutscher ist einer der Bediensteten meiner Schwester, er hat eine Reiseerlaubnis.*

Wenn Ihr nach Dorchester kommt, wird meine Schwester Jane sicherstellen, dass gut für Euch gesorgt ist. Ihr dürft dort bleiben, bis die Heimsuchung London wieder verlassen hat, und bekommt dann sicheres Geleit zurück.

Mögen die Bitten einer Mutter Euer Herz erweichen und Ihr es über Euch bringen, den Wunsch einer Sterbenden zu erfüllen und mein Kind zu retten.

Von meiner Hand am 30. Tag des Monats August 1665.

Maria Beauchurch

Als Sarah das Ende des Briefes erreicht hatte, wurde Lady Jane ganz blass und ihr Mund verzog sich vor Gram. Sie schüttelte einige Male den Kopf hin und her, sagte jedoch nichts.

»Ich bin Hannah, und dies ist meine Schwester Sarah«, unterbrach ich das lange Schweigen, das folgte. »Abby war Mrs. Beauchurchs Dienstmagd und meine liebe Freundin. Sie ..., sie starb an der Pest.«

»Ebenso wie Eure Schwester, kurz nachdem sie diesen Brief geschrieben hatte«, sagte Sarah sanft. »Und da ihr Gemahl bereits gestorben war, haben wir Grace geholt und sie zu Euch in Sicherheit gebracht, wie sie es wünschte.«

Lady Janes Gesicht blieb unverändert, doch sie schnupperte einige Male an ihrem Blumensträußchen.

»Sonst wäre Grace allein in dem Haus in London zurückgeblieben«, sagte ich, »und sie wäre gestorben.«

»Das wusste ich nicht«, sagte Lady Jane endlich.

»Ich habe einen Boten zum Haus geschickt, der mir Nachrichten bringen sollte, doch er ist nicht zurückgekehrt.«

»London ist von der Seuche vollkommen verwüstet«, sagte Sarah. »Die Leute sterben wie die Fliegen.«

»Allein letzte Woche starben achttausend Menschen«, sagte ich. »Vielleicht ist Euer Bote ebenfalls erkrankt.«

»Aber die kleine Grace ist gesund und voller Leben«, fuhr Sarah fort, »obwohl wir leider nicht in der Lage waren, sie richtig zu ernähren. Wir hoffen zu hören, dass es hier eine Amme gibt.«

»Eine Amme!«, sagte Lady Jane verächtlich. »Wie soll ich denn eine Amme für ein Kind finden, von welch hohem Stand es auch sein mag, das aus einem Haus kommt, in dem sein Vater und seine Mutter von der Pest hinweggerafft worden sind?«

»Aber Grace ist gesund«, protestierte Sarah, »genauso gesund wie wir. Seht doch!«

Sie streckte ihr Grace entgegen, doch Lady Jane wedelte wild mit den Armen und wich vor uns zurück. »Nein! Tretet zurück!«

»Wir haben Gesundheitsbescheinigungen, die der Lord Mayor höchstpersönlich unterzeichnet hat«, sagte ich und merkte erst dann, wie dämlich diese Bemerkung war.

»Sie sind nicht auf Eure Namen ausgestellt!«, sagte Lady Jane sofort. »Sie bescheinigen die gute Gesundheit meiner Schwester und ihrer Dienstmagd – und wie wenig sie wert sind, beweist die Tatsache, dass sie beide inzwischen tot sind!«

»Aber habt doch Mitleid …« Ich hielt Grace so hoch, dass sie sie gut sehen konnte. »Hier ist Eure Nichte, und sie ist ein wunderschönes Kind.« Meine Stimme zitterte, weil es so aussah, als würde nicht nur nichts aus dem überschwänglichen Empfang werden, den ich erwartet hatte, sondern als wollte sie uns abweisen. »Ihr werdet uns doch gewiss bei Euch aufnehmen?«, rief ich aus.

Lady Jane schwieg einen Augenblick, so dass ich furchtbare Angst bekam, wieder weggeschickt zu werden. Schließlich sagte sie: »Ich werde Euch nicht ganz und gar abweisen. In der Tat schmerzt es mich, mein eigen Fleisch und Blut von mir fern halten zu müssen, doch ich muss auch an meine Familie hier denken. Ihr müsst in Quarantäne gehen, bis ich sicher bin, dass Ihr die Seuche nicht mitgebracht habt.«

»Aber wir sind doch gesund.«

»Bitte denkt daran …«, setzte Sarah an, doch ihre Stimme erstarb, denn ebenso wie ich spürte sie, dass jeglicher Protest sinnlos war. Lady Jane hatte sicher von den Zuständen in London gehört und wusste also, wie schnell sich die Pest verbreitete – und hatte ich ihr nicht selbst die Zahl derer genannt, die in der vergangenen Woche daran gestorben waren?

»Wie könnte ich es mir je verzeihen, wenn ich dafür verantwortlich wäre, die Pest nach Dorchester gebracht zu haben?«, fragte Lady Jane. »Nein, um die

Sicherheit meiner Familie zu gewährleisten, müsst ihr drei für eine gewisse Zeit in einem Pestilenzhaus isoliert werden.«

Sarah rang nach Atem. »Oh nein, bloß das nicht!«, rief sie aus, trat zu mir und legte den Arm um mich.

Ich spürte, wie mir vor Angst Tränen in die Augen schossen. All das durchzumachen, was wir durchgemacht hatten, nur um an einen dieser jämmerlichen, übel riechenden Orte geschickt zu werden, wo der Todesengel von morgens bis abends neben den Betten Wache hielt! Es wäre besser gewesen, überhaupt nicht hierher zu reisen, sondern trotz allem in London zu bleiben.

»Und was ist mit Mr. Carter?«, fragte die Frau in Schwarz Lady Jane. Sie hatte die ganze Zeit über nicht gesprochen, sondern nur seltsame hicksende Geräusche von sich gegeben. »Er hat sich auch inmitten der Seuche in London aufgehalten. Muss er ebenfalls ins Pesthaus gehen?«

»Carter ist beim letzten Ausbruch der Pest vor zwanzig Jahren daran erkrankt«, sagte Lady Jane. »Er ist davon genesen und wird sich nicht wieder anstecken.«

»Aber …, aber wo gibt es denn ein solches Haus?«, fragte Sarah. »Wohin müssen wir gehen?«

»Es gibt ein Pestilenzhaus für Reisende an der Straße nach Dorchester«, sagte Lady Jane. »Ihr müsst vierzig Tage dort bleiben – bis wir sicher sind, dass Ihr nicht ansteckend seid.«

»Aber wir dachten, dass wir Grace das Leben retten, indem wir sie hierher bringen – wie soll es ihr denn an einem solchen Ort ergehen?«, fragte ich. »Wir haben weder Milch für sie noch Decken oder Kleidung. Das Laken, in das sie gewickelt ist, ist alles, was sie besitzt.«

»Ich werde den Milchesel vorbeischicken, und Ihr sollt allen Komfort haben, den ich Euch dort bieten kann«, sagte Lady Jane. »Und nach vierzig Tagen dürft Ihr dann nach Highclear House zurückkommen.«

»Bis dahin sind wir vielleicht schon tot!«, sagte ich bitter.

»Und wie sollen wir überhaupt dorthin kommen?«, fragte Sarah, der inzwischen Tränen übers Gesicht liefen. »Müssen wir laufen?«

»Nein. Ich werde veranlassen, dass Carter Euch hinbringt«, sagte Lady Jane. Sie drehte sich um und richtete ein paar Worte an die andere Frau, die in Richtung Stallungen davoneilte. »Zeigt mir das Baby doch noch einmal«, bat sie.

Ich hätte ihr diese Bitte am liebsten abgeschlagen, doch ich traute mich nicht, also streckte ich ihr Grace entgegen und schlug den Wickel so auf, dass Lady Jane ihre gesunde Hautfarbe und ihre kräftigen Gliedmaßen sehen konnte.

»Sie sieht meiner lieben Schwester sehr ähnlich«, waren ihre einzigen Worte. Dann drehte sie sich um und kehrte zum Haus zurück.

»Kein Wort des Dankes«, sagte Sarah, als Lady Jane im Haus verschwand.

»Und als Belohnung werden wir ins Pesthaus geschickt! Sollen wir einfach wegrennen?«, fragte ich verzweifelt. »Wir könnten uns irgendwo in den Wäldern verstecken oder in irgendeine Stadt durchschlagen. Alles ist besser, als ins Pesthaus zu gehen!«

Sarah schüttelte erschöpft den Kopf. »Wie sollten wir denn wegrennen? Wir haben nichts zu essen und keinen Ort, wo wir unterkommen könnten. Wohin sollten wir denn gehen?«

»Wir haben ein bisschen Geld…«

»Aber nicht genug. Und was sollten wir mit Grace anfangen? Mit einem so kleinen Kind bei uns können wir nicht wie die Tiere im Wald leben. Außerdem«, fügte sie hinzu, »bin ich so erschöpft, dass ich nirgendwohin rennen könnte.«

»Du bist also dafür, dass wir ins Pesthaus gehen und inmitten von Bettlern leben?«

»Ich fürchte, es bleibt uns nichts anderes übrig«, sagte Sarah. »Wir müssen das Beste daraus machen.«

KAPITEL 2

Das Pesthaus

»IN DIESEM MONAT
IST DIE SEUCHE DAS ERSTE MAL WIEDER
ZURÜCKGEGANGEN, SEIT SIE ANGEFANGEN HAT,
UND ES GIBT GROSSE HOFFNUNG, DASS
SIE IM NÄCHSTEN MONAT WEITER ZURÜCKGEHT.«

*A*ls die Tür des Pesthauses geöffnet wurde, war das Erste, was uns auffiel, der Gestank, der herauskam, so schwer und faulig wie der Pesthauch, der über London gehangen hatte. Es stank nach Dreck, verfaulenden Lebensmitteln, Exkrementen und ungewaschenen Körpern und war so widerlich, dass es den robustesten Magen umgedreht hätte. Sarah und ich mussten uns fast übergeben und hätten auf dem Absatz kehrtgemacht, wenn nicht der Gemeindebeamte, dem wir anvertraut worden waren, dicht hinter uns gestanden hätte.

Als unsere Augen sich an das schwache Licht im Inneren des Hauses gewöhnt hatten, sahen wir uns voller böser Ahnungen um. Sarah hielt Grace mit einem Arm fest, und sie und ich nahmen uns an die Hand und klammerten uns aneinander wie an einen Rettungsanker.

Das Nächste, was uns nach dem Geruch auffiel, waren der Verfall und die Düsternis – es wirkte genauso finster wie in einem Grabgewölbe. Die rauen Wände und die mit Spinnweben überzogenen Balken wurden weder von Decken noch von Wandbehängen aus Stoff verhüllt, und die Fenster waren hoch und schmal und hatten keine Glasscheiben. Der Lehmfußboden war mit allerlei erbärmlichem Unrat übersät: alten, fleckigen Wundpflastern und blutgetränkten Verbänden, vollen Nachttöpfen, zerfetzten Tüchern und Lumpen und dem, was, wie ich fand, aussah wie der Abfall und die Überreste von gut einem Dutzend Pestwellen. Mitten in diesem Schmutz standen etwa acht Betten, von denen mindestens die Hälfte mit Patienten belegt war, die dort lagen oder saßen und mit einer derben Decke oder einem dreckigen Laken bedeckt waren.

»Es ist … schmutzig«, sagte Sarah schwach, entzog mir ihre Hand und drückte sich ein weißes Leinentuch vor den Mund, um die Luft zu filtern. Sie drehte sich zu Mr. Beade um, dem Gemeindebeamten, einem schmierigen, rattengesichtigen Mann mit einer ganzen Menge Pockennarben. »Meine Schwester und ich sind von vornehmer Geburt«, sagte sie leise. »Gibt es keine anderen Bettstätten für uns?«

Ich zeigte auf Grace. »Dieses Kind ist Lady Janes Nichte«, sagte ich. »Es ist doch gewiss nicht richtig, dass es sich an einem solchen Ort aufhält.«

»Aber Lady Jane hat Euch doch selbst hergeschickt«, sagte er und wirkte überrascht, dass man überhaupt auf die Idee kommen konnte, hier nicht leben zu wollen. »Und sie wird mich dafür bezahlen, dass ich Euch unterbringe und das Ende Eurer Quarantäne hier abwarten lasse. Also kommt schon«, fuhr er fort, »die Zeit wird schnell vergehen, und mit Gottes Gnade werdet Ihr genauso gesund wieder hier herauskommen, wie Ihr hineingekommen seid.«

Sarah und ich schauten uns verzweifelt an.

»So hübsche Mägde!«, sagte er und ließ dann seinen Blick über mich gleiten. »Ihr mit Eurem feurigen Aussehen. Zwei so anmutige Gestalten wie Ihr werdet so manch einen unserer armen Patienten gewiss aufmuntern!«

Bei diesen Worten warf ich ihm einen bösen Blick zu, denn ich hatte keineswegs die Absicht, den anderen Insassen zur Unterhaltung zu dienen. »Können meine Schwester und ich wenigstens beisammenbleiben?«, fragte ich.

Sarah nickte. »Und könnten wir, weil wir ein kleines Kind haben, eine Ecke oder eine Nische bekommen, wo wir seine Bedürfnisse stillen können, ohne die Leidenden hier zu stören?«

Mr. Beade – der genauso schlecht roch wie sein Pesthaus – sah uns zweifelnd an.

»Wir wünschen keine Sonderbehandlung«, sagte ich. »Wir denken genauso sehr an das Wohlergehen Eurer Patienten wie an uns selbst. Das Baby wacht häufig auf und verlangt nach Milch und schreit genauso oft wie jeder andere Säugling auch.«

Nach langem Hin und Her und nachdem er ein paar arme Gestalten, die halb tot aussahen, von ihrer Matratze vertrieben und woandershin verfrachtet hatte, fand Mr. Beade in einer Ecke ein Bett für Sarah. Mein Bett stand im rechten Winkel dazu, so dass Grace in dem engen Raum, den unsere zwei aneinander gestellten Betten bildeten, eingeschlossen war. Aus dem angrenzenden Armenhaus, in dem er lebte, beschaffte er eine leere Schublade (zweifellos, weil er sich mit Lady Jane gut stellen wollte) und sagte, dass sie ein prima Bettchen abgeben würde, wenn wir sie mit irgendetwas füllten.

Sarah warf einen Blick auf die Patienten. »Hat irgendeiner von ihnen die Pest?«, fragte sie Mr. Beade leise.

Er schüttelte den Kopf. »Nein, ganz und gar nicht!«, antwortete er. »Hier hat keiner die Pest. Es gibt keine Pest in Dorchester.«

Sie wies in den Raum. »Aber was haben sie denn dann?«

»Zwei von ihnen haben Fleckfieber«, sagte er, »einer hat Blutfluss und ein anderer leidet an Schweißfieber. Ein weiterer ist aus London in seine Heimatstadt Dorchester zurückgekehrt und muss genau wie Ihr vierzig Tage absitzen.« Mit diesen Worten wandte er sich wieder seinen Aufgaben zu, die hauptsächlich darin zu bestehen schienen, die Leute dazu anzutreiben, sich zu bewegen anstatt herumzuliegen und sich ihren Krankheiten hinzugeben.

»Mindestens einer von ihnen hat die Pest, ganz egal, was er sagt«, warnte mich Sarah, als er uns allein gelassen hatte. »Wir müssen uns, so gut wir können, von denjenigen fern halten, die bettlägerig sind.«

»Natürlich«, sagte ich. Ich betrachtete die schmutzige Umgebung und ließ mich dann auf das Bett fallen, das mir zugewiesen worden war, weil ich mich mit einem Mal erschöpft und weinerlich fühlte und nichts anderes wollte, als mich hinzulegen und auszuweinen.

Sarah scheuchte mich sofort wieder auf. »Derjenige, der vor dir auf diesem Bett lag, sah aus, als wäre er kurz vorm Sterben!«, schalt sie mich. »Wir müssen ein wenig frisches Stroh sammeln und unsere Matratzen neu damit füllen, ehe wir uns darauf legen.«

Ich seufzte, weil ich mich so ausgelaugt fühlte, dass es mich in diesem Augenblick vollkommen kalt ließ, welche ansteckende Krankheit ich bekam. Außerdem hatte ich das Gefühl, dass es auf frisches Stroh, Sauberkeit oder ähnliche Schutzmittel nicht ankam. Die Pest, das wusste ich mittlerweile, folgte ihren eigenen Gesetzen, wen sie heimsuchte und wen sie in Ruhe ließ. Dennoch trugen wir, weil Sarah darauf bestand, unsere Matratzen hinaus und entleerten sie auf einen Kehrichthaufen genau neben der Haustür, der furchtbar stank und auf dem allerlei Fliegen herumsurrten. An den verdreckten Hüllen konnten wir nichts ändern, doch wir schüttelten die Matratzen an der frischen Luft aus und füllten sie dann mit trockenem Gras und Heidekraut (denn das Pesthaus stand auf einer Gemeindewiese und es gab eine Menge davon in der Umgebung), bevor wir sie wieder ins Haus trugen.

Als wir damit fertig waren, fing Grace aus Leibeskräften an zu schreien. Dies stellte uns vor ein neues Problem, weil die Milchflasche, die wir letzte Nacht in der Herberge bekommen hatten, inzwischen leer war. Doch als wir uns an Mr. Beade wandten und ihm erklärten, wie wichtig es war, dass Lady Janes Nichte wuchs und gedieh, schickte er seine Frau in ein Haus auf der anderen Seite der Gemeindewiese. Kurz darauf (Sarah und ich versuchten gerade abwechselnd, Grace zu beruhigen, indem wir sie vor dem Pesthaus auf und ab trugen) kam ein junges Mädchen mit einer Eselin, deren Milch es sogleich in einen Emaillekrug molk.

Solchermaßen versorgt, fütterten wir Grace auf dieselbe Art, die Abby angewendet hatte – indem wir die Milch an unseren Fingern entlang herablaufen ließen und sie ihr in den Mund träufelten –, und stellten die restliche Milch abgedeckt an eine schattige Stelle für später. Dann trugen wir Grace ins Haus und wechselten ihre Windel, indem wir einen weiteren Streifen des Lakens abrissen. Anschließend machten wir es ihr in der Schublade auf einem Nest aus Heu so bequem wie möglich.

In der Zwischenzeit hatten wir selbst großen Hunger bekommen (weil wir seit dem Frühstück am Morgen in der Herberge nichts mehr gegessen hatten), und so ging ich zu Mr. Beade, um ihn zu fragen, wann hier die Mahlzeiten serviert würden.

Er lachte unhöflich auf. »Das hier ist doch keine Gastwirtschaft!«, sagte er. »Hattet Ihr etwa vor, Euch gebratene Tauben zu bestellen oder gar Waldhuhnsuppe?«

»Aber wie sollen wir denn etwas zu essen bekommen?«, fragte ich ihn.

»Meinen Patienten wird von hilfsbereiten Leuten aus der Nachbarschaft etwas zu essen gebracht«, sagte er. »Aber ich bin mir sicher, dass Lady Jane Euch zur rechten Zeit etwas schicken wird. In der Zwischenzeit dürft Ihr Euch von den Resten dessen nehmen, was bereits gebracht wurde.«

Ich ging zu Sarah, um ihr das zu berichten, und sie deutete auf einen wuchtigen Holztisch am anderen Ende des Raums. »Ich glaube, dort stehen ein paar Reste«, sagte sie. »Schau mal, was noch für uns da ist.«

Ich ging hin, sah nach und berichtete Sarah schaudernd, dass es ein kleines Stück alten, verschimmelten Käse gab, zwei Stücke hartes Brot und ein paar vertrocknete gekochte Kartoffeln.

Sarah warf mir einen traurigen Blick zu.

»Aber wir können nichts davon essen!«, fügte ich hinzu und sah den Tisch angewidert an. »Dann müssen wir eben hungern.«

»Nein, das müssen wir nicht«, sagte Sarah. »Wir haben noch zwei Goldmünzen übrig, und wenn Lady Jane uns keine Lebensmittel schickt, bitten wir eben Mr. Beade, etwas für uns einzukaufen.«

»Aber was sollen wir heute tun?«

»Heute werden wir uns mit den Kartoffeln und dem Brot begnügen müssen«, sagte Sarah. »Es entspricht zwar nicht dem, was wir gewohnt sind, aber es wird uns auch nicht schaden.«

Ich schauderte von neuem.

»Wir müssen stark bleiben und dürfen nicht die Hoffnung verlieren«, fuhr Sarah fort. Sie setzte sich aufs Bett und nahm meine Hände. »Denn hat dein Liebster uns nicht gesagt, dass ein frohes Herz besser ist als jede Medizin?«

Bei diesen Worten musste ich einfach lächeln, weil es mir das Herz wärmte, von Tom als meinem Liebsten sprechen zu hören und daran erinnert zu werden, was sein Lehrmeister, der Apotheker Doktor da Silva, ihm in der schlimmsten Phase der Pest gesagt hatte.

Doch wir brauchten das altbackene Brot nicht hinunterzuwürgen, denn als ich zum Tisch ging, um die Reste auszusuchen, die noch am ehesten zu gebrauchen waren, hörte ich eine Frauenstimme rufen: »Junge Damen! Ich habe einen besseren Laib und würde mich freuen, ihn mit Euch zu teilen.«

Der Ruf kam zu meiner Erleichterung nicht von einer der halb toten Gestalten, die hier herumlagen, sondern von einer Frau, die das Pesthaus eben erst betreten hatte. Sie trat mit einem in ein Tuch gewickelten Brotlaib zu mir, und ich sah Sarah fragend an, weil ich nicht wusste, ob ich ihr Angebot annehmen sollte oder nicht. Allerdings drückte die Frau mir das Brot in die Hand, bevor ich ablehnen konnte. »Meine Familie wohnt in der Nähe und versorgt mich gut mit Lebensmitteln, solange ich hier bleiben muss«, sagte sie in dem weichen Akzent der Gegend. »Dieses hier kann ich mit Leichtigkeit entbehren.«

Ich glaube, Sarah hätte gern sowohl von der Frau als auch von ihrem Brot Abstand gehalten, doch es schien mir nicht nett, das zu tun (außerdem hatte ich großen Hunger), also bedankte ich mich herzlich bei ihr und lud sie ein, sich zu uns zu gesellen.

Unsere Wohltäterin war eine Frau um die dreißig mit einem runden, ehrlichen Gesicht, auf deren Haar, das wie ein Nest aufgesteckt war, eine reichlich mitgenommene weiße Haube saß. Die Frau sah recht schmuddelig aus, und ihre Schürze war fleckig, doch das war nicht weiter erstaunlich, denn ich konnte hier nirgends eine Waschschüssel entdecken oder auch nur Wasser, mit dem sie sich hätte waschen können.

»Mein Name ist Martha Padget«, sagte sie, »und ich bin vor drei Wochen aus London hergekommen.«

Ich nannte ihr unsere Namen und erzählte ihr, dass wir heute erst aus London angekommen seien. »Und dieses Baby hier heißt Grace«, fügte ich hinzu.

»Ist es Euer Kind?«, fragte Martha Sarah neugierig.

»Nein, ganz und gar nicht!«, antwortete Sarah hastig. »Sie ist ein Waisenkind und die Nichte von Lady Jane Cartmel, die hier in der Nähe lebt.«

»Lady Jane!«, rief Martha mit großen Augen aus. »Kennt Ihr sie?«

»Natürlich«, sagte Martha, »sie ist eine sehr vornehme Dame, und alle in Dorchester kennen sie.«

»Sie mag ja eine sehr vornehme Dame sein«, sagte ich bitter, »aber das hat sie nicht gehindert, uns an diesen dreckigen, stinkigen Ort zu schicken!«

»Pscht!«, sagte Sarah zu mir und fügte dann an Martha gewandt hinzu: »Wir waren davon ausgegangen, dass Lady Jane uns bei sich aufnehmen würde, und das wird sie später vielleicht auch tun, aber zunächst müssen wir vierzig Tage hier überstehen.«

»Genau wie ich«, sagte Martha seufzend. »Aber sagt mir doch, wütet die Pest in London immer noch so schlimm?«

Sarah nickte. »Es wird immer schlimmer, der Totenkarren ist immerzu unterwegs.«

Martha schüttelte den Kopf. »Ich befürchte, dass London ganz und gar ausstirbt. In meinem Haus sind alle umgekommen: Herr, Herrin, Kinder und Diener. Ich war die Köchin dort – und Gott sei Dank bin ich verschont geblieben! Ich habe es geschafft, eine Gesundheitsbescheinigung zu bekommen, und bin nach Dorchester zurückgereist, weil dies meine Heimatstadt ist und meine Schwester hier lebt.«

»Und wie ergeht es Euch hier in dem Pesthaus?«, fragte ich sie.

Sie zuckte die Achseln. »Ich spreche mit niemandem, esse nichts als das, was meine Schwester mir schickt, und halte mich von denen fern, die irgendeine Art von Fieber haben. Ich muss noch neunzehn Tage bleiben, bevor ich entlassen werde.« Grace murmelte etwas im Schlaf, und Martha trat zu ihr und lächelte freundlich beim Anblick des schlafenden Kindes. »Aber was ist mit Euch?«, fragte sie.

Ich zögerte, ihr zu antworten, und Sarah warf mir

einen warnenden Blick zu, doch ich hatte natürlich nicht vor, ihr von den gefälschten Gesundheitsbescheinigungen zu erzählen. »Als Graces Mutter starb, kümmerte sich meine Freundin Abby um sie«, sagte ich, »doch dann …, dann erkrankte sie ebenfalls an der Pest und bat uns, Grace wegzubringen. Wir bekamen Gesundheitsbescheinigungen und eine Kutsche, die uns hierher brachte. Heute Morgen sind wir in Highclear House angekommen.«

»Wart Ihr in London in Stellung?«, fragte Martha.

Sarah schüttelte den Kopf. »Nein, wir haben eine Zuckerbäckerei, *Zur kandierten Rosenblüte*, beim Crown and King Place.«

»Wir verkaufen kandierte Rosenblüten und gezuckerte Früchte«, sagte ich und ließ meinen Blick durch den Raum schweifen. »Tatsächlich ist der Kontrast zwischen unserem Geschäft und diesem jämmerlichen Ort hier sehr groß!«

Solange ich gesprochen hatte, hatte ich gedankenlos das weiche Brot in den Händen zerkrümelt und mir kleine Stücke davon in den Mund geschoben. Eigentlich würde ich nicht einmal im Traum daran denken, trockenes Brot zu essen – ohne jeden Aufstrich beziehungsweise ohne es wenigstens in Zuckerwasser zu tunken. Doch jetzt war ich sogar so hungrig, dass ich keins von beidem vermisste. Tatsächlich glaube ich, dass ich alles aufgegessen hätte, wenn mir nicht auf einmal Sarah eingefallen wäre. Ich entschuldigte mich bei ihr und reichte ihr schnell den Rest des Brotes.

Sarah bedankte sich bei Martha für ihre Freundlichkeit und fragte sie dann leise, ob irgendjemand im Pesthaus gestorben sei, seit sie sich hier aufhielt.

»Zwei Leute«, antwortete Martha. »Mit einer Woche Abstand voneinander. Und sie sind ganz bestimmt an der Pest gestorben. Ich kenne die Anzeichen ebenso gut wie jeder andere, der sich in London aufgehalten hat. Doch es kam eine alte Frau herein, die als Leichenbeschauerin arbeitet, und behauptete, der Erste sei an der Franzosenkrankheit gestorben und der Zweite an Blutfluss.«

»Warum hat sie das denn getan?«, fragte Sarah.

»Weil Mr. Beade keine andere Aussage zulassen würde«, sagte Martha, nachdem sie einen Blick über die Schulter geworfen hatte, um sich zu vergewissern, dass er sich nicht irgendwo in der Nähe herumtrieb. »Es ist seine Aufgabe, die Pest aus Dorchester herauszuhalten, und das ist es, was er tut. Er hält die Pest heraus, indem er nicht zulässt, dass man sie auch nur erwähnt.«

»Aber wie kommt es denn – entschuldigt bitte meine Frage –, dass Ihr Euch nicht angesteckt habt?«, fragte Sarah.

Martha zuckte die Achseln. »Wie das kommt? Ich weiß es nicht, vielleicht, weil ich so viel Zeit wie möglich im Freien verbringe – doch wenn ich ein Patentrezept gegen die Pest hätte, würde ich es in Flaschen abfüllen und ein Vermögen machen ...«

»Wir kauen jeden Tag einen Rosmarinzweig – und

wir tragen beide einen Talisman in der Tasche und haben einen Trank genommen, als wir noch in London waren«, sagte ich, »aber welches von diesen Mitteln geholfen hat, wissen wir auch nicht.«

Während wir uns unterhielten, bemerkten wir, dass Mr. Beade vor der Tür mit jemandem sprach und dabei großes Geschrei machte und sich sehr leutselig gab. Kurze Zeit später rief er Sarah und mich zu sich und sagte uns, dass Lady Jane eine kleine Kiste für uns geschickt habe, mit der Botschaft, dass das, was wir nicht brauchten, dem Pesthaus zugute kommen solle.

Aufgeregt nahmen Sarah und ich die Kiste entgegen, öffneten sie und fanden darin ein paar geflickte, aber sehr saubere und weiche Leintücher, eine Steppdecke, ein paar Handschuhe, drei Kleider (die zwar eher altmodisch waren, aber, der Qualität der Spitze nach zu urteilen, Lady Jane selbst gehört hatten) und mehrere Baumwollhemden und Unterröcke sowie einige Waschlappen, ein Handtuch und ein kleines Stück Seife. Grace bekam rund zwei Dutzend Windeln, eine Menge gesmokte Kleider und solche mit Biesen, zwei locker gestrickte Babydecken und ein paar schöne Häubchen mit Bändern. Außerdem gab es einen Korb mit zwei frischen Broten, etwas Wein, einen ganzen runden Käse und ein paar Früchte: eine Orange, eine Unmenge Äpfel und Pflaumen.

Auf einem Zettel, der in der Kiste lag, stand:

Mistress Hannah und Mistress Sarah. Lady Jane bat mich, Euch diese Dinge zukommen zu lassen. Sie hofft, hiermit ein Geringes dazu beizutragen, Euren Aufenthalt im Pesthaus weniger beschwerlich zu gestalten. Ich werde dafür sorgen, dass Ihr genügend Lebensmittel bekommt. Zögert bitte nicht, Euch jederzeit an mich zu wenden, wenn ich Euch mit weiteren Dingen, die Ihr benötigt, versorgen kann, und seid versichert, dass ich Eure beflissene und ergebene Dienerin bin,

R. Black

Haushälterin von Lady Jane Cartmel

Selbst die Tatsache, dass wir gehört hatten, wie Mr. Beade sich vor einer Weile mit lauten Freudenrufen über die Kiste hergemacht hatte, und wir sicher sein konnten, dass er sich bereits einiges herausgenommen hatte, tat unserer Freude keinen Abbruch. Wir machten uns sofort daran, die sauberen Hemden und Kleider anzuziehen (denn während der Reise hatten wir vier Tage lang dieselben Sachen getragen), und baten Mr. Beade um eine Waschschüssel, um uns selbst und unsere Unterwäsche waschen zu können. Bevor wir das taten, hängten wir eines der Laken an Sarahs Bettende auf, damit uns niemand beim Ausziehen zusah. Wir müssten unseren Anstand wahren, sagte Sarah und fügte hinzu: »Obwohl die übrigen Insassen des Pesthauses halb tot aussehen, kann man nie vorsichtig genug sein.«

Die Zeit, die uns im Pesthaus bevorstand, machte uns immer noch Angst, doch wir fühlten uns schon viel besser, nachdem wir diese Dinge erhalten hatten und wussten, dass wir regelmäßig mit Essen versorgt werden würden. Außerdem wussten wir, dass unsere Freundschaft mit Martha ebenfalls hilfreich für uns sein würde, weil sie, sowohl was das Verhalten im Pesthaus als auch was Mr. Beade betraf, eine zuverlässige Informationsquelle war.

Mit Hilfe unserer neuen Freundin begannen wir in den nächsten Tagen den übel riechenden Ort zu säubern. Es gab bereits eine Art Krankenschwester, die täglich vorbeikam, um nach den Bettlägerigen zu sehen, doch nun baten wir darum, dass eine Magd kam, die den Boden sauber hielt sowie die Matratzenhüllen wusch und deren Inhalt regelmäßig auswechselte, damit es besser roch. Wir ließen den Kehrichthaufen vor der Haustür ein ganzes Stück weiter weg verlagern, streuten Kräuter auf dem Boden aus und wandten in der Tat die meisten Methoden an, die in London verordnet worden waren, damit die Pest sich nicht ausbreitete. Wir verlangten, dass alle, bis auf die, die im Sterben lagen, hinausgingen und ihr Geschäft im Abort verrichteten, weil es nicht anging, dass Nachttöpfe benutzt wurden und tagelang unter den Betten stehen blieben, insbesondere, da es immer noch sehr warm war.

Tatsächlich war das Wetter ein Segen für uns, denn

wenn es geregnet hätte, wären wir gezwungen gewesen, inmitten der üblen Gerüche und Ausdünstungen im Pesthaus zu bleiben. So verbrachten wir jedoch einen Großteil der Zeit in dem ummauerten Garten, der das Haus umgab und vom Weiler trennte, der dahinter lag. Wir baten darum, dass uns Papier und Stifte geschickt wurden, und vertrieben uns die Zeit damit, Kräuter und alle Blumen, die wir finden konnten, zu sammeln, zu trocknen und zu benennen. Außerdem begannen wir, Martha das Alphabet beizubringen, und lehrten sie, ihren Namen zu schreiben, denn sie war nie in der Schule gewesen.

Grace nahmen wir so viel wie möglich mit nach draußen, und sie wuchs und gedieh in der Landluft und wurde pummelig von der frischen Eselsmilch, besonders, nachdem in einer unserer regelmäßigen Lieferungen von Highclear House eine knöcherne Schnabeltasse zum Füttern für sie gekommen war. Dadurch konnte sie mehr Milch zu sich nehmen, und noch dazu in ihrem eigenen Tempo, weil sie sehr bald lernte, daraus zu trinken und die Tasse auf den Boden zu schlagen, wenn wir sie wieder auffüllen sollten. Sarah hatte mehr Geduld mit Grace als ich und verbrachte mehr Zeit mit ihr, denn obwohl ich sie wirklich gern hatte, hatte ich mich ehrlich gesagt zu oft um meine drei schreienden und spuckenden kleinen Brüder kümmern müssen, um noch allzu viel Zuneigung für Säuglinge empfinden zu können. Einer der Insassen des Pesthauses hatte eine kleine Holzpuppe für sie geschnitzt, und Sarah und ich nähten ihr Kleider und Mützen aus Leinenresten (obwohl Grace, die gerade zahnte, diese ignorierte und es dabei beließ, am Kopf der Puppe zu nagen).

Gut zwei Wochen, nachdem wir im Pesthaus angekommen waren, wurde Martha von einem Arzt aus Dorchester untersucht und für gesund erklärt, so dass sie ausziehen durfte. Wir wussten, dass sie uns sehr fehlen würde, doch wir versprachen uns gegenseitig, uns wiederzusehen – sie sagte sogar, dass sie es nicht erwarten könne, uns in Highclear House zu besuchen.

In der darauf folgenden Woche starb einer unserer Mitbewohner (wie es hieß, an Fleckfieber) und zwei andere wurden aufgenommen: ein alter Mann und sein Sohn, die ebenfalls aus London kamen. Sie überbrachten uns die frohe Nachricht, dass die Zahl derer, die an der Pest starben, endlich abnahm. In der schlimmsten Phase der Pest waren zehntausend Leute innerhalb einer Woche gestorben, doch dann waren die Zahlen nach und nach zurückgegangen. In der ersten Oktoberwoche hatte es dreitausend Pesttote gegeben, und ein weiterer Rückgang wurde erwartet.

»Wir müssen unserer Familie schreiben«, sagte Sarah, als sie das hörte. »Wenn die Anzahl der Toten jetzt abnimmt, könnte ein Brief an sie durchkommen.«

Ich nickte. »Zumal wir nicht aus London schreiben, sondern aus Dorchester, das macht bestimmt einen Unterschied.«

Wir überlegten eine ganze Weile, was wir über Abbys Tod schreiben sollten, denn Abbys Mutter, die verwitwet war, lebte nicht weit von unserem Haus in Chertsey entfernt. Sie hatte bestimmt noch nichts vom Tod ihrer Tochter gehört. Wir wussten nicht, ob wir unsere eigene Mutter in die schwierige Lage bringen sollten, die Nachricht überbringen zu müssen.

Am Ende beschlossen wir, Abbys Tod gar nicht erst zu erwähnen, denn weder unsere Mutter noch unser Vater konnten gut lesen, und es wäre zu kompliziert gewesen, ihnen zu erklären, unter welchen Umständen Abby gestorben war, und zu sagen, dass wir die Sorge für die kleine Grace übernommen und sie zu Lady Jane gebracht hatten. Darum schrieben wir einfach nur Folgendes:

Liebste Mutter und liebster Vater,
wir vertrauen darauf, dass Ihr genauso wohlauf seid wie Gott sei Dank auch wir. Ihr habt bestimmt von den unglücklichen Zuständen gehört, die zurzeit in London herrschen, und wir schreiben Euch, um Euch zu sagen, dass wir uns aus bestimmten Gründen gegenwärtig in Dorchester aufhalten. Wir versprechen Euch, Euch auf dem Rückweg nach London zu besuchen, und senden in der Zwischenzeit die besten Grüße an John, George, Adam und Anne. Eure Euch liebenden Töchter Sarah und Hannah

Wir falteten das Pergament zusammen, versiegelten es mit Siegelwachs, das Mr. Beade uns gegeben hatte, und schickten es an Reverend Davies in unserer Gemeindekirche in Chertsey. Wir vertrauten darauf, dass er die kleine Summe, die notwendig war, um das Schreiben ausgehändigt zu bekommen, entrichten würde und den Brief demjenigen von unserer Familie, der am folgenden Sonntag zur Messe kam, in die Hand drückte.

»Stell dir die Aufregung vor, wenn der Brief ankommt!«, sagte Sarah liebevoll.

Ich nickte. »Anne wird ihn zu Mutter nach Hause tragen...«

Sarah lachte. »Und John und George und der kleine Adam werden sich darum streiten, wer ihn zuerst sehen darf..., und sie werden versuchen, die Wörter zu entziffern..., und Mutter wird ihnen ihre eigenen Namen am Ende des Briefes zeigen.«

»Und dann werden die Jungen schreiben üben, indem sie versuchen, ihren Namen Buchstabe für Buchstabe abzumalen!«

Danach schwiegen wir eine ganze Weile, und ich fühlte mich niedergeschlagen und mir war zum Weinen zumute. Obwohl es nicht einmal fünf Monate her war, dass ich meine Eltern und Geschwister zuletzt gesehen hatte, war in der Zwischenzeit sehr viel passiert und ich wünschte mir sehnlichst, zusammen mit ihnen allen in Sicherheit in unserem kleinen strohgedeckten Häuschen in Chertsey zu sein.

Als unsere vierzig Tage um waren, ließ Mr. Beade wieder den Arzt kommen, damit er uns untersuchte. Das tat er und erklärte uns alle drei für gesund und munter. Er leitete diese Nachricht wohl an Highclear House weiter, denn am selben Nachmittag kam die Kutsche, die uns von London nach Dorchester befördert hatte, zum Pesthaus. Mr. Carter verbeugte sich vor uns und forderte uns auf, unsere Habseligkeiten zusammenzupacken, weil Lady Jane uns zu sehen wünschte. Sogleich zogen wir Grace ganz aufgeregt ihr bestes Kleid und ihr schönstes Häubchen an, kämmten uns, zogen uns um und machten uns für die kurze Fahrt zurecht.

Mr. Beade, der nicht von den Verbesserungen im Pesthaus profitiert hatte und immer noch schlimmer stank als ein Iltis, rannte, offensichtlich betrübt, dass wir ihn verließen, eine ganze Weile neben der Kutsche her. »Meine Damen, vergesst nicht, Lady Jane wissen zu lassen, wie gut ich Euch gehegt und gepflegt habe!«, waren die letzten Worte, die er uns hinterherrief.

KAPITEL 3

Highclear House

»MICH BEI MEINEN BUCHHÄNDLERN
NACH EINEM BUCH ERKUNDIGT,
DAS VOR ETWA ZWANZIG JAHREN ALS
PROPHEZEIUNG DES KOMMENDEN JAHRES, 1666,
GESCHRIEBEN WURDE UND
WORIN ERKLÄRT WIRD, DASS ES SICH UM DAS
MALZEICHEN DES TIERES HANDELT.«

*D*er Unterschied zwischen Highclear House und dem Pesthaus hätte nicht größer sein können. Obwohl wir Highclear das erste Mal bei strahlendem Sonnenschein gesehen hatten, als die Marmorsäulen glänzten und die Fensterscheiben silbern funkelten, und es, als wir wiederkamen, regnete und Sturmwolken, so dick wie Erbspüree, am Himmel hingen, war der Anblick immer noch atemberaubend. Highclear House war eindrucksvoll und stattlich, es hatte etwas von der Pracht des Royal Exchange und wirkte viel zu vornehm für ein Gebäude, das einfach nur als Wohnhaus dient.

Mr. Carter fuhr uns hinters Haus, vorbei an einer Kapelle, einem Brauhaus, der Waschküche, Stallungen und Remisen. Es gab so viele von diesen Gebäuden, dass es sich um ein ganzes kleines Dorf zu handeln schien, und dieser Eindruck wurde durch die große Menge Leute verstärkt, die wir dort ihren Aufgaben nachgehen sahen: Dienstmägde, Stallburschen, Kammerdiener, Schreiber und sogar zwei Geistliche.

Die Kutsche hielt in einem gepflasterten Hof. Wir stiegen aus, betraten das Haus durch eine schwere Eichentür und gingen eine Treppe hinab, die in die

Küche führte. Diese war so groß wie ein Wirtshaus, und ihre Wände waren voller Schränke und Regale für die Kochtöpfe. An einer Wand stand ein großer geschwärzter Küchenherd, über dem zwei lange Reihen glänzender Töpfe, Pfannen und Backformen aus Kupfer hingen. Es gab mehrere tiefe Spülbecken aus Zinn und zwei Feuerstellen, über denen je ein Tier auf einem Spieß steckte und gebraten wurde. Die hellen Flammen des Feuers spiegelten sich in den aufgereihten Kupfertöpfen, so dass die ganze Küche heiter wirkte. In der Tat machte sie einen so warmen und einladenden Eindruck, dass wir eine Weile nur dastanden und uns staunend umsahen. Der Kontrast zum dunklen und dreckigen Pesthaus, in dem, trotz all unserer Bemühungen, nachts Ratten über den Boden flitzten und Läuse und Flöhe uns wach bissen, war so groß, dass ich das Gefühl hatte, gar nicht genug vom Anblick der Küche bekommen zu können.

Grace, die sicher und geborgen in meinen Armen lag, war ebenfalls still und machte große Augen, und die Frauen mit den weißen Schürzen, die hier zugange waren, lächelten sie – und uns – freundlich an. Wir waren beide ebenso überrascht wie begeistert, als wir sahen, dass eine dieser Frauen unsere Freundin Martha aus dem Pesthaus war: Martha, die eine lange weiße Schürze trug und ihr widerspenstiges Haar unter einer neuen gestärkten Haube zusammengesteckt und fast gänzlich verborgen hatte.

»Ich habe Euch schon erwartet!«, sagte sie, trat zu

uns und küsste uns beide zur Begrüßung. »Mrs. Black hat der Köchin erzählt, dass Ihr diese Woche ankommt.«

»Aber was tut Ihr denn hier?«, fragte ich sie höchst überrascht.

»Nun, meine Schwester hat einen neuen Mann, den ich nicht ausstehen kann«, sagte sie, »und als ich hörte, dass Ihre Ladyschaft eine Küchenmagd sucht, habe ich mich um die Stelle beworben, weil ich wusste, dass Ihr bald hierher kommt.«

Sie streichelte Grace über die Wange, und das Kind, das sie erkannte, begann, ihr in seiner Babysprache etwas Unverständliches zu erzählen. In der Zwischenzeit sah ich mich immer noch bewundernd um, denn ich war noch nie in einem so hochherrschaftlichen, stattlichen Haus wie diesem gewesen. Hinter einer offenen Tür konnte ich einen Blick in eine Vorratskammer werfen, in der dicke Sträuße getrockneter Blumen und Kräuter hingen. Eine andere Tür führte in eine Milchkammer, in der Fässer mit Sahne und Butter standen. Ich fragte mich, wie der Rest des Hauses wohl aussah, und kam zu dem Schluss, dass es mir bei seinem Anblick möglicherweise ganz und gar die Sprache verschlagen würde, wenn ich schon von der Küche derartig beeindruckt war.

»Was sollen wir hier tun? Wisst Ihr das?«, fragte ich Martha, weil Sarah und ich uns oft darüber unterhalten hatten, wie wir wohl von Lady Jane empfangen werden würden und was sie mit uns vorhatte.

»Was für eine Stellung werden wir einnehmen?«, fügte Sarah hinzu.

Martha schüttelte den Kopf. »Ich habe keine Ahnung«, sagte sie. »Obwohl wir Mägde die Ohren offen halten und allerlei Gerüchte zu hören bekommen, erfahren wir nur selten etwas wirklich Interessantes. Über mir steht die Oberküchenmagd, darüber die Köchin, und über uns allen steht die Haushälterin. Ich habe Lady Jane noch nie gesehen, nicht einmal aus der Ferne! Das Einzige, was ich weiß, ist, dass Lord Cartmel irgendetwas mit dem Parlament zu tun hat, aber er ist nicht hier, sondern in Oxford, dem derzeitigen Sitz des Parlaments.«

»Warum ist das Parlament denn in Oxford?«, fragte Sarah.

»In London wütet doch immer noch die Pest«, antwortete Martha und senkte bei dem gefürchteten Wort die Stimme.

»Aber wir haben gehört, dass die Zahl der Toten zurückgeht«, sagte ich.

Martha nickte. »Man sagt, dass es jetzt, mit der kühleren Witterung, besser wird. Gott sei Dank.«

Grace grabschte nach Marthas Haube und zog sie zur Seite, woraufhin ich sie mir auf die andere Hüfte setzte und somit von dieser Versuchung fern hielt. »Ist es ein gutes Haus zum Arbeiten?«, fragte ich.

»Ja«, versicherte uns Martha, »Mrs. Black ist streng, aber gerecht. Und es ist sehr angenehm für das Personal, dass die arme Frau ständig Probleme hat mit …«

Doch sie verstummte, denn genau in diesem Moment ertönte ein seltsames leises Geräusch von der Tür her, und einen Augenblick später erschien die schwarz gekleidete Frau, mit der wir genau vierzig Tage zuvor zuerst gesprochen hatten. Es handelte sich dabei in der Tat um Mrs. Black (deren Namen ich für jemanden, der solche düstere Kleidung trug, sehr passend fand), die Haushälterin von Lady Jane. Als solche stand sie dem gesamten weiblichen Dienstpersonal vor: Köchinnen, Dienstmägden, Gouvernanten, Näherinnen und Waschfrauen.

Nach einem kurzen Augenblick wurde uns klar, was Martha uns gerade über Mrs. Black hatte sagen wollen, denn als sie auf uns zukam, hickste sie zweimal und vollführte dabei kleine Bewegungen, bei denen ihr Kopf nach hinten stieß und sie ein wenig Luft einsog. Ich hätte beinahe laut gelacht, schaffte es jedoch gerade noch, mich zusammenzureißen.

Mrs. Black streckte die Arme nach Grace aus. »Endlich! Herzlich willkommen in Highclear House!«, sagte sie und fügte hinzu: »Die Kleine ist uns wirklich sehr willkommen.«

Sarah und ich machten beide einen Knicks – ich mit einiger Mühe, weil Grace inzwischen pummelig und schwer geworden war. Mrs. Black nahm sie mir ab, und ich glaubte, dass Grace schon schreien wollte, weil eine Unbekannte sie anfasste. Sie setzte bereits dazu an, doch Mrs. Black hickste zwei weitere Male und Grace vergaß zu brüllen. Sie betrachtete die Haushälterin mit einem so erstaunten Ausdruck, dass ich wieder beinahe lachen musste.

»Kommt jetzt nach oben, Lady Jane möchte Euch sprechen«, sagte Mrs. Black. »Und vergesst bloß nicht, ihr zu sagen, wie dankbar Ihr seid, dass sie so freundlich ist, Euch hier aufzunehmen.«

Sarah und ich warfen uns einen kurzen Blick zu, und als Mrs. Black uns durch die Küche voranging, flüsterte ich ihr zu, dass es genau umgekehrt sein sollte: *Lady Jane* sollte *uns* dankbar sein, dass wir Grace gerettet hatten. Sarah machte mir ein Zeichen, still zu sein.

Mrs. Black, die immer wieder leise hickste, führte uns einen langen Flur entlang, durch mehrere Türen hindurch und ein paar Treppenstufen hoch und hinunter. Schließlich kündigte sie an, dass wir nun in den Teil des Hauses gelangten, den Lady Jane und ihre Familie bewohnten.

Wir gingen durch eine Tür, und der Unterschied zwischen den beiden Teilen des Hauses stach sofort ins Auge. Eben befanden wir uns noch in einem schmalen, dunklen Treppenhaus ohne Teppich, und einen Augenblick später waren wir in einer Welt, in der die Luft getränkt war vom Geruch von Potpourri. Unsere Füße versanken in dicken, weichen Teppichen, und wir sahen uns Wände an, die so großzügig mit Porträts, Spiegeln und Wandteppichen behängt waren, dass man die Tapete dahinter kaum sehen konnte.

»Ihr werdet den vorderen Teil des Hauses nie wieder betreten, es sei denn, Ihr werdet dazu aufgefordert«, sagte Mrs. Black. »Das Haus ist nämlich so angelegt, dass das Personal und die Familie ein völlig getrenntes Leben führen. Hier hat die Dienerschaft eigene Treppen und Flure und wird von der Familie nicht gesehen.«

Sarah und ich sahen beide überrascht auf, weil wir so etwas noch nie gehört hatten.

»Es ist, damit die Herrschaften, die morgens die Haupttreppe hinaufgehen, die Nachttöpfe von der vergangenen Nacht, die gleichzeitig heruntergetragen werden, nicht sehen«, sagte Mrs. Black.

»Und gibt es wirklich einen Raum zum Baden«, fragte ich, »in dem das warme Wasser aus einem Hahn an der Wand kommt?«

»Den gibt es«, sagte sie, »aber zwei Dienstmägde müssen je vier Stunden arbeiten, um den Wasserbehälter mit warmem Wasser zu füllen, deshalb ist er bisher nur ein einziges Mal in Betrieb genommen worden, und zwar nach der letzten Niederkunft von Lady Jane.«

Wir blieben vor einer Tür stehen, die über und über mit vergoldeten Reliefs bedeckt war. Mrs. Black nahm Grace auf eine bequemere Art in den Arm und rieb ihr einen Fleck von der rundlichen Wange, dann warf sie Sarah und mir einen kritischen Blick zu. »Könnt Ihr nicht Euer Haar ein bisschen mehr bändigen?«, fragte sie mich. »Es sieht so zerzaust aus.«

Ich zupfte meine Haube zurecht. »Ich habe es hinten zusammengebunden«, sagte ich und drehte mich etwas zur Seite, um es ihr zu zeigen. »Doch ich fürchte, es hat seinen eigenen Willen.«

»Und diese Farbe«, murmelte Mrs. Black. »Findet Ihr nicht, dass es übermäßig leuchtet?«

Das tat ich natürlich und hatte auch schon viele Male versucht, seine Röte ein wenig abzuschwächen, doch seit ich herausgefunden hatte, dass Nelly Gwyn exakt dieselbe Haarfarbe und dieselbe Art Haar hatte wie ich, hatte ich mich ein wenig damit ausgesöhnt. Ich fuhr mir mit den Fingern durch die Locken, die dadurch nur noch mehr abstanden.

Sarah verkniff sich ein Lächeln. »Hannahs Haar wird sehr bewundert«, warf sie ein. »Alle Galane lassen Bemerkungen darüber fallen.«

»Hier gibt es keine Galane«, sagte Mrs. Black trocken. Sie warf uns einen letzten Blick zu und strich ein Blatt von Sarahs Rock. Dann klopfte sie sacht an die Tür und führte uns in den Raum.

Ich musste mich anstrengen, dass mir der Mund nicht offen stehen blieb bei dem Anblick, der sich mir bot. In der Tat könnte ich nicht in allen Einzelheiten beschreiben, was sich in dem Raum befand, doch ich weiß, dass es lange lila Samtvorhänge gab und viele mit Kristalltröpfchen verzierte Spiegel, die von Kerzen angeleuchtet wurden (weil es bereits dunkel war), und dass alles ganz strahlend, hell und prächtig aussah. Von der Decke hingen drei goldene Vogelkäfige herab, in denen jeweils mehrere leuchtend bunte Vögel saßen.

Inmitten all dieser Pracht saß Lady Jane an einem kleinen Tisch und spielte mit drei anderen Damen Karten. Alle vier trugen sie hohe, glänzende Perücken und waren in die allerschönsten Gewänder aus edlen Stoffen gekleidet. Lady Jane selbst trug steifen Goldbrokat über Goldmoiré, eine ihrer Gefährtinnen war in glänzend grüne Seide gekleidet, die mit Silber abgesetzt war, und die übrigen beiden Damen trugen Rottöne: die eine Tiefrot, die andere ganz zartes Rosa. Alle vier zusammen sahen so reich und vornehm aus, als wären sie aus einem Gemälde.

Sie legten ihre Karten zur Seite und blickten uns an, so dass Sarah und ich unwillkürlich so tief knicksten, als stünden wir vor dem König von England.

Lady Jane würdigte uns keines Blickes. Sie erhob sich, steuerte direkt auf ihre Nichte zu und nahm sie Mrs. Black ab. Doch sie griff zu plötzlich nach ihr, und Grace fing sofort an zu weinen.

»Sei still, du dummes Ding!«, sagte sie und versuchte ohne jeden Erfolg, Grace zu beruhigen, indem sie sie hochhob und hin und her wiegte.

»Das mag sie nicht!«, platzte ich heraus und hätte ihr Grace wieder abgenommen, wenn mich nicht die Blicke von Mrs. Black und meiner Schwester zurückgehalten hätten.

»Dann nehmt sie bitte, Mrs. Black!«, sagte Lady Jane, ohne weiteres Interesse an Grace zu zeigen. »Ich weiß, dass Ihr ihre Kinderstube bereits hergerichtet habt.«

Mylady übergab Grace Mrs. Black und setzte sich wieder an den Kartentisch. Es schien, als seien wir entlassen (und als hätten wir ebenso viel Wert wie Flöhe auf einer Überdecke, wie ich später zu Sarah sagte). Mrs. Black zögerte unseren Abgang jedoch mit einem bedeutungsvollen Nicken hinaus.

»Oh! Vielen Dank, dass Ihr so freundlich seid, uns hier in Eurem Haus aufzunehmen«, sagte Sarah.

Ihre Ladyschaft nickte, und da sie mich ansah, fragte ich: »Und was sollen wir jetzt tun?«

Mrs. Black hickste und warf mir einen bösen Blick zu, also fügte ich hinzu: »Eure Ladyschaft. Bitte.«

»Ihr werdet natürlich beide hier bleiben, bis die Pest von London ablässt«, sagte Lady Jane, nahm ihre Karten wieder in die Hand und vertiefte sich in ihr Blatt. »Und dann wird Carter Euch mit der Kutsche zurückbringen.«

»Aber wie werden wir erfahren, wann wir ohne Gefahr zurückkehren können?«

Lady Jane winkte abwehrend ab und sagte: »Wir bekommen jede Woche Nachrichten. Es kommen wieder Zeitungen und Briefe aus London – wir werden es mitbekommen, wenn man ohne Gefahr zurückkehren kann.« Sie wandte sich von uns ab und wieder ihrem Blatt zu, und da Mrs. Black und Sarah in der Tür standen und beide mich mit großen Augen ansahen, zog ich mich zurück.

»Lady Jane darf von Euresgleichen nicht belästigt werden«, tadelte Mrs. Black hicksend, als wir das

Zimmer verlassen hatten. »Sie hat ganz andere Sorgen.«

»Wie wir gesehen haben«, murmelte ich, doch wegen Graces Gebrüll hörte mich Mrs. Black nicht.

Mit der schreienden Grace auf dem Arm führte Mrs. Black uns weitere Gänge entlang zu dem Flügel, in dem die Kinderstuben lagen, und wo, wie sie uns erklärte, Lady Janes Kinder mit ihrem Personal lebten und unterrichtet wurden. Nachdem sie uns erzählt hatte, dass Grace ein eigenes Zimmer bekäme sowie ein Kindermädchen, das sich um sie kümmern würde, betraten wir ein kleines, weiß getünchtes Zimmer, in dem ein vielleicht vierzehn Jahre altes Mädchen ein paar Kohlen auf dem Rost anblies, um ein Feuer anzufachen. Dies war offensichtlich Graces Kinderstube, denn außer einem schmalen Bett standen hier noch eine kräftige Holzwiege, ein Tisch und ein Stuhl sowie ein hölzernes Schaukelpferd. Letzteres sah aus, als sei es von Lady Janes Kindern bereits viel benutzt worden, denn es war reichlich zerrupft und der größte Teil seiner Mähne fehlte.

Das Mädchen sprang auf, als wir eintraten, und machte vor jeder von uns einen Knicks. Da ich es nicht gewohnt war, dass man vor mir knickste, und nicht wusste, wie ich darauf reagieren sollte, beehrte ich sie ebenfalls mit einem Knicks, woraufhin Sarah mich mit einem Stirnrunzeln bedachte.

»Ab jetzt wird Anna sich um Grace kümmern«, sagte Mrs. Black zu uns. »Sie ist ein umsichtiges Mädchen. Ihre Mutter ist im Kindbett gestorben, und sie hat ihre drei kleinen Schwestern ganz allein großgezogen.«

Anna lächelte uns schüchtern an und streckte dann die Arme aus, um Grace in Empfang zu nehmen. Diese hatte sich beruhigt, als wir das Zimmer betreten hatten, begann jetzt jedoch gleich wieder zu schreien. Anna schien sich nicht daran zu stören, sondern lagerte sie in ihrer Armbeuge und steckte ihr mit ihrer freien Hand etwas in den Mund. Sogleich begann Grace gierig daran zu saugen.

»Es ist eine Rosine, die ich in ein Stück Musselin geknotet habe«, sagte Anna. »Das klappt immer.«

»Oh! Wir haben ihre Puppe im Pesthaus vergessen!«, rief ich aus, weil mir plötzlich Graces Liebling einfiel.

Mrs. Black verzog das Gesicht. »Sie braucht keine schmutzigen Dinge mehr von dort«, sagte sie. »Ab jetzt wird sie alles mögliche hübsche Spielzeug haben und kann schön mit ihren Cousins und Cousinen spielen. Und wenn sie erst einmal Dobbin bezwungen hat …«, sagte sie mit einem Nicken in Richtung des Schaukelpferdes, »wird sie lernen, auf einem echten Pferd zu reiten.«

Grace saugte noch immer an dem Musselinschnuller, und ihr Mund bewegte sich rhythmisch, als wir uns verabschiedeten, doch ihre Augen waren bereits zugefallen. Sie sah so hübsch und niedlich aus, als ich mich über sie beugte, um ihr einen Kuss zu geben, dass mir richtig schwer ums Herz wurde, schließlich hatte ich sechs Wochen lang wie eine Mutter für sie gesorgt und sie war mein letztes Verbindungsglied zu Abby. Ich spürte, dass mir die Tränen kamen, und schluchzte ein wenig auf. Sarah ließ sich von mir anstecken und begann ebenfalls zu weinen, bis Mrs. Black uns sanft aus der Kinderstube herausführte und sagte, wir könnten Grace besuchen, wann immer wir wollten.

Dann zeigte sie uns unser recht einfaches Zimmer, in dem ein schmiedeeisernes Bett stand und einige Regale hingen, und erklärte uns, dass wir kommen und gehen dürften, wie es uns beliebte, solange wir im hinteren Teil des Hauses blieben. Unsere einzige Verpflichtung war, uns am Tag des Herrn in der Kapelle einzufinden.

Als Mrs. Black gegangen war, waren Sarah und ich so erleichtert, dass wir die Quarantäne im Pesthaus heil überstanden hatten, dass wir uns beide aufs Bett fallen ließen und weinten und den Rest des Nachmittags kaum mehr damit aufhören konnten. Wir weinten über all die Schrecken, die wir in London zurückgelassen hatten, um unsere Freunde, die gestorben waren, und vor Erleichterung, dass wir Grace sicher hierher gebracht hatten. Ich meinerseits weinte auch wegen Tom, weil ich furchtbare Angst hatte, ihn nie mehr zu sehen.

Die Zeit, die wir in Highclear House verbrachten, zog sich in die Länge, weil wir keine Aufgaben hatten und es uns schien, als habe Lady Jane uns vollkommen vergessen. Während wir darauf warteten, dass die Pest in London nachließ, wurden die Wochen zu Monaten, und es wurde kalt und begann zu frieren. Wir hatten einen Ofen in unserem Zimmer und bekamen eine wöchentliche Ration Kohlen, also brachten wir eine Menge Zeit dort zu und beschäftigten uns entweder damit, besser lesen zu lernen (es gab eine große Bibliothek, allerdings mit furchtbar langweiligen Büchern), unsere Kleidung zu besticken oder Rezepte aus der Vorratskammer zu lernen. Martha kannte diese und brachte uns bei, wie man Potpourri, wohlriechende Wasser zum Waschen und Duftkugeln machte. Sie zeigte mir ebenfalls, wie man aus Rosmarin und Eberraute einen Kräuteraufguss als Spülung für die Haare machte, damit sie nicht mehr gar so widerspenstig waren (obwohl es nichts an ihrer Röte änderte). Daneben beschäftigten wir uns, indem wir mit Grace spielten und mit den Katzen und Hunden, die zum Haushalt gehörten. In London hatten wir mehrere Monate lang keine mehr gesehen, weil sie, für den Fall, dass sie die Pest verbreiteten, alle vorsorglich getötet worden waren.

Wir hörten, dass die Pest von London nach Sherborne in Dorsetshire weitergezogen war, wo sie zurzeit ihren Höhepunkt erreicht hatte, ebenso wie nach Southampton und auf die Insel Wight. Glüclicherweise flaute die Pest in London jedoch weiterhin ab. Aus der *Newes* (die jede Woche nach Highclear gebracht wurde und ein paar Tage später in die untere Etage gelangte) erfuhren wir, dass es im Dezember einen so strengen Frost in London gab, dass die Themse zufror und ein Jahrmarkt darauf abgehalten wurde, und dass diese extreme Kälte die Anzahl der Pesttoten weiterhin senkte. Dennoch, so lasen wir in der *Newes*, zögerten der König, sein Hof und die meisten anderen, die aus der Hauptstadt geflohen waren, immer noch, dorthin zurückzukehren, weil sie nicht gänzlich überzeugt waren, dass es schon wieder sicher war.

Die Dienerschaft im Haus duldete Sarahs und meine Anwesenheit, obwohl manche es uns meiner Meinung nach übel nahmen, dass wir keine wirkliche Arbeit hatten. Sie waren immerzu beschäftigt, und wenn ich sie mir so ansah – besonders die Stubenmädchen, die ab dem frühen Morgen auf den Beinen waren und ständig zu tun hatten, bis ihre Dienstherren geruhten, sie spätabends zu entlassen –, schwor ich mir, niemals in Stellung zu gehen.

Gelegentlich halfen wir ihnen und fertigten Zuckerwerk und Konfekt für einige von Lady Janes Musikabenden an und nochmals, als ein Ball anlässlich der Rückkehr Seiner Lordschaft gegeben wurde. Er kehrte kurz vor Weihnachten mit großem Gepränge aus Oxford zurück und brachte eine Reihe eigener Diener mit: einen Kammerdiener, einen Butler, einen Stallburschen, einen Lakaien, einen Kammerherrn und einen Stiefelknecht, was die Anzahl derer, die in der unteren Etage lebten, weiter erhöhte.

Der Stiefelknecht verguckte sich, wie ich (weil er ein unanständiger kleiner Bengel war) zu meiner Schande gestehen muss, ein wenig in mich. Wenn ich im Garten auf der Suche nach Falscher Kamille war – weil dieses Kraut viele nützliche Eigenschaften hat – oder anderen Kräutern, aus denen man Konfekt machen kann, folgte er mir überallhin, sprach die ganze Zeit auf mich ein und lenkte mich von allem ab, womit ich gerade beschäftigt war. Doch weil er an den Türen lauschte und ein großes Klatschmaul war, erfuhr ich einiges von ihm. Er erzählte uns zum Beispiel, dass es in Oxford überhaupt keine Pest gab und dass die Adligen dort nicht viel Zeit daran verschwendeten, an diejenigen zu denken, die in London darunter litten.

»Das Einzige, worüber sie in Oxford reden, ist Lady Castlemaines bevorstehende Niederkunft«, erzählte mir der junge Bill eines Morgens, als ich im Gemüsegarten nach Kräutern suchte, die im Winter blühen. »Manche sagen, dass das Kind, das sie erwartet, nicht vom König ist.«

»Ist denn Lady Castlemaine zusammen mit dem Hof in Oxford?«, fragte ich überrascht. Wir wussten zwar alle, wer die Geliebten des Königs waren, und verbrachten viele Stunden damit, ihre unterschiedlichen Qualitäten zu besprechen und uns darüber zu streiten, welche von ihnen am schönsten war, doch mir war neu, dass er eine von ihnen mitgenommen hatte.

Er nickte. »Der König hat Lady Castlemaine zur Kammerzofe der Königin ernannt, also begleitet sie den Hof jetzt überallhin.«

»Ist denn die Königin auch da?«

»Sie ist da – aber niemand schert sich auch nur einen Deut um sie. Es ist Lady Castlemaine, die das Sagen hat.«

»Ist sie sehr hübsch?«

»Ich habe sie nur von weitem gesehen«, sagte Bill, »aber sie soll schöne Augen haben und eine Haarpracht ganz aus eigenen Haaren, und wenn sie sich irgendwo aufhält, haben alle nur Augen für sie.« Er rückte näher an mich heran. »Aber ich will doch meinen, dass Ihr es mit ihr aufnehmen könntet, Süße.« Er legte mir seine dreckige Hand auf den Arm, und seine Nägel waren so schwarz vor lauter Schmutz und Schuhwichse, dass ich einen kleinen Schrei ausstieß und zurückwich.

»Erzähl mir mehr darüber, wie es in Oxford ist«, sagte ich hastig und zog mein Plaid fester um die Schultern, um mich vor dem Wind zu schützen. »Sind ihnen die, die in London zurückgeblieben sind, wirklich gleichgültig?«

»Sie behaupten, dass dem nicht so ist«, sagte er, »aber weil sie ständig Bälle und Maskenbälle und andere Dinge zu ihrer Unterhaltung veranstalten, sage ich, dass dem doch so ist. Allerdings behaupten sie,

sie tun das nur, um sich von den Schrecken der Pest abzulenken.«

Gerade, als ich ihn fragen wollte, ob sie davon sprachen, wieder nach London zurückzukehren, hörten wir einen Schluckauf, der uns warnte, dass Mrs. Black in der Nähe war. Bill stürzte in aller Eile zurück zum Haus, weil Mrs. Black scharfzüngig war und nicht zögern würde, ihn wegen seiner Faulheit bei seinem Herrn anzuschwärzen. Ich wandte meine Aufmerksamkeit wieder dem Boden zu, fand ein wenig Rosmarin, der zwischen den Pflastersteinen wuchs, und pflückte ihn.

»Ach!«, sagte Mrs. Black und trat zu mir. »Ich war gerade auf der Suche nach Euch oder Eurer Schwester, und Martha sagte, dass Ihr möglicherweise hier seid.«

»Ich bin auf der Suche nach Kräutern«, sagte ich.

»Darüber wollte ich gerade mit Euch sprechen. Über ... Kräuter und Hausmittel.«

»Ich weiß nicht viel darüber«, sagte ich hastig, weil ich wusste, dass es nicht gut war, sich als Frau dazu zu bekennen. In Chertsey war einer unserer Nachbarn von einem tollwütigen Hund gebissen worden und hatte sich an eine weise Frau im Dorf gewandt, die ihm Wegerich gab. Als er später starb, wurde sie der Hexerei angeklagt.

Mrs. Black hickste zweimal. »Vielleicht ist dies ... mein Gebrechen ... Euch ja aufgefallen.«

Ich nickte feierlich.

»Ich würde es behandeln lassen, aber ich fürchte

mich davor, zu einem Arzt zu gehen, der mir dann womöglich sagt, ich habe ganz etwas anderes. Etwas Schlimmeres. Gibt es etwas, das ich nehmen könnte? Einen Trank, den Ihr für mich herstellen könntet?«

»Ich bin mir nicht sicher«, sagte ich. Sarah und ich hatten zwar verschiedene Rezepte und ein paar Heilmittel aufgeschrieben, die Doktor da Silva, der Apotheker, uns gegeben hatte, doch ich war nicht sicher, ob etwas dabei war, was Schluckauf heilen würde.

»Vielleicht könntet Ihr Eure Schwester fragen und es mich dann wissen lassen«, sagte sie.

Ich sprach noch am selben Vormittag mit Sarah darüber, und wir kamen zu dem Schluss, dass der Grund für Mrs. Blacks Leiden war, dass sie gern scharf gewürzte Gerichte aß. Wir sahen unsere Unterlagen daraufhin durch und fanden einige Kräuter, die die Verdauung fördern sollten, doch leider blühten sie alle im Sommer. Allerdings hatten wir ein paar Stängel Habichtskraut behalten, ein nützliches Kraut mit verschiedenen heilenden Eigenschaften, also zermahlten wir die getrockneten Blüten und tauchten sie in einen Trank. Nachdem sie diese Mischung nur zwei Tage lang nach den Mahlzeiten eingenommen hatte, hörte Mrs. Blacks Schluckauf zu unserer großen Überraschung tatsächlich auf. Sie war uns so dankbar, dass auf einmal ein ganzer Extrakübel Kohlen in unserem Zimmer stand, und sie schenkte uns ebenfalls fünf Paar vornehme weiße Glacéhandschuhe, die Lady Jane ausrangiert hatte.

Der Rest der Dienerschaft, der nun nicht mehr vorgewarnt wurde, wenn die Haushälterin irgendwo auftauchte, war uns allerdings weniger dankbar.

Der Highclear-Ball fand am Abend vor Beginn des neuen Jahres statt: 1666, das Prophezeiungen und Weissagungen zufolge wegen der dreifachen Sechs von großer Bedeutung sein sollte. Das erfuhren wir aus *Lily's Almanack*, den die Köchin gekauft hatte, obwohl sie ihn kaum lesen konnte. In ruhigen Augenblicken oder wenn Mrs. Black anderweitig beschäftigt war, bat sie mich, daraus vorzulesen, damit wir erfuhren, was im kommenden Jahr geschehen würde, und um ihr und den anderen Dienern je nach ihren Sternzeichen die Zukunft vorauszusagen.

Während über unseren Köpfen der Ball stattfand, saßen wir spät in der Nacht am langen Tisch in der Küche und gingen dieser Beschäftigung nach. Das große Festmahl im Speisesaal war schon vorüber (und Mrs. Black hatte sich in ihr eigenes Zimmer zurückgezogen), und nun durfte das Personal sich selbst vergnügen. Zu diesem Zweck waren sogar ein paar Flaschen Sherry ausgeteilt worden, und wir hatten die Reste mehrerer gebratener Kapaune, Ziegen und Tauben bekommen, die die Herrschaften oben kaum angerührt hatten, so voll gestopft waren sie mit der Unmenge feudaler Speisen, die zuvor aufgetischt wurden.

Ich verstand nicht alles, was ich aus dem *Almanack* vorlas, und ich glaube, dass es den meisten Dienern nicht anders erging, doch die wichtigste Weissagung war, dass für das Jahr 1666 ein Ereignis von großer Tragweite zu erwarten sei. »Denn in der Offenbarung des Johannes steht geschrieben, dass die Zahl 666 die des Tieres ist«, las ich vor.

»Tja, und was soll das bedeuten?«, fragte Martha, und wir schüttelten alle zweifelnd den Kopf.

»Das Tier kann Feuer aus dem Himmel fallen lassen und die Häuser der Mächtigen stürzen«, fuhr ich fort, und alle sahen sich mit großen Augen an und gaben vor, erschrocken zu sein.

Der ernste Ton, den ich anschlug, um den Dienern diese Neuigkeit vorzutragen, wurde jedoch ein wenig untergraben durch Bill, der mit einem Mistelzweig zu mir kam, mich von hinten vom Tisch zog und versuchte, mich zu küssen. Schreiend rannte ich kreuz und quer durch die Küche vor ihm davon, schloss mich in der Milchkammer ein und kam erst wieder heraus, als er versprach, mich in Ruhe zu lassen.

Später tranken wir alle auf den Beginn des neuen Jahres, und Sarah und ich umarmten uns und sagten, wie dankbar und erleichtert wir wären, dass das alte Jahr vorbei sei.

»Was auch immer dieses Jahr geschehen mag«, sagte Sarah, »es kann gar nicht so schrecklich werden wie das letzte Jahr.«

Ich schüttelte den Kopf. »Das kann es wirklich nicht!«

KAPITEL 4

Chertsey

»DOCH NUN IST DIE PEST BEINAHE BESIEGT
UND ICH HABE VOR, SO SCHNELL WIE MÖGLICH
NACH LONDON ZURÜCKZUKEHREN,
DA MEINE FAMILIE SICH BEREITS SEIT ZWEI ODER
DREI WOCHEN DORT AUFHÄLT.«

Sind wir denn immer noch nicht da?«, fragte ich Sarah. »Wir müssten doch längst angekommen sein.«

Sie warf einen Blick durch das Fenster der Kutsche zum Himmel, um zu sehen, wo die Sonne stand. »Mr. Carter sagte, wir würden kurz vor Sonnenuntergang ankommen«, antwortete sie, »und bis dahin dauert es noch eine ganze Weile.«

Ich stieß einen langen, lauten Seufzer aus. Noch nie war mir eine Reise so ermüdend vorgekommen. Selbst die Fahrt von London nach Dorchester war nichts im Vergleich zu dieser, weil damals Grace bei uns gewesen war und wir alle Hände voll zu tun gehabt hatten, sie zu füttern und still zu halten.

»Wir sind bald da, Hannah«, sagte Sarah und lächelte in die Ferne. »Stell dir doch bloß mal vor, wie aufgeregt unsere kleinen Geschwister sein werden, wenn sie uns sehen.«

»Und Vater wird ein bisschen brummeln und nicken und erfreut aussehen!«

»Und Mutter erst. Sie wird vor Freude darüber, dass wir wieder zu Hause sind, weinen, wenn sie erst einmal über die Überraschung hinweg ist.«

Ich nickte freudig. Das alles erwartete uns. Das alles und noch viel mehr: Mutter würde einen der Jungen hinausschicken, um ein Hühnchen einzufangen, und es zum Abendessen zubereiten, und danach gäbe es einen Haferbrei mit der Sahne von unseren eigenen Kühen. Nach dem Essen würden wir uns alle zusammensetzen und Kerzen anzünden, und Sarah und ich würden unsere Neuigkeiten erzählen. Mutter und Anne würden alles über den Laden wissen wollen: welches Zuckerwerk am besten lief und nach welcher Mode die vornehmen Leute gekleidet waren, die zu uns ins Geschäft kamen. Die Jungen hingegen würden wahrscheinlich wissen wollen, wie viele Leichen wir gesehen hatten, als die Pest am schlimmsten wütete, und ob wir auch irgendjemanden mit Geschwüren gesehen hatten. Später würde ich wieder einmal in der Schlafstube schlafen, in der ich geboren wurde, mit dem Feuchtigkeitsfleck an der Wand, der aussah wie eine Eiche. Und Tyb, unser dicker alter Kater, würde sich auf mein Bett legen und mich nachts wecken, weil er im Zimmer herumsprang und versuchte, Motten zu fangen. Ich sehnte mich so sehr danach, endlich da zu sein.

Wir hatten uns so lange in Highclear House aufgehalten, bis die Zahl der Pesttoten auf den Londoner Totenlisten sehr stark zurückgegangen war und es als völlig sicher für uns galt, wieder zurückzureisen. Ende Februar hatten wir bereits gehört, dass der König und sein Hof nach Whitehall zurückgekehrt waren, doch wir hatten eine ganze Weile gebraucht, um unsere Reise vorzubereiten, weil Lady Jane zu der Zeit außer Landes gereist war und sich bei Verwandten in Frankreich aufhielt. Mrs. Black (die gar nicht genug für uns tun konnte, seit wir ihren Schluckauf kuriert hatten) hatte ihr geschrieben und sich erkundigt, ob Carter uns mit der Kutsche wenigstens bis nach Chertsey bringen dürfe. Das durfte er, und es war vorgesehen, dass Sarah und ich ein oder zwei Wochen bei unserer Familie verbrachten, ehe wir den letzten Teil der Reise nach London auf irgendeine andere Art und Weise antraten. Wir hatten vom gesamten Haushalt von Highclear House Abschied genommen, doch in Wirklichkeit tat es uns nur Leid, uns von Grace und unserer guten Freundin Martha zu trennen.

Ich streckte meine Beine in der beengten Kutsche aus und hob meinen Rock hoch, um mir die Knie zu reiben. »Ich bin von Kopf bis Fuß durchgerüttelt«, klagte ich. »Ich könnte schwören, dass ich unter meinem Hemd überall grün und blau bin.«

Nachdem ich über die schmerzenden Stellen gerieben hatte, zog ich den Rock wieder herunter und zupfte die Falten zurecht, denn der leuchtend blaue Stoff war kostbar und ich liebte das Kleid heiß und innig. Alles in allem war es Sarah und mir während unserer Zeit in Highclear House gelungen, mehrere neue Garnituren zu ergattern. Lady Jane ging großzügig mit ihren ausrangierten Sachen um, und zudem war ein Ballen tiefroten Linsey-Woolseys, eines groben Stoffes aus Wolle und Leinen, aus dem Ausland gekommen, dessen Farbe Mylady nicht gefallen hatte. Sie schenkte ihn Mrs. Black, und mit ihrer Hilfe und der der Näherinnen im Haus schneiderten Sarah und ich Röcke und passende Jacken daraus, die wir danach bestickten und die sehr elegant aussahen.

Wir gelangten an eine Kreuzung, und ich warf einen Blick aus dem Fenster der Kutsche. Dort standen ein Schandgeigen und ein doppelter Galgen, an dem die Leichen von zwei Wegelagerern sanft im Wind baumelten. Bei ihrem Anblick musste ich an Gentleman Jack denken, den Wegelagerer, der sein Unwesen in der Umgebung unserer Heimatstadt und auf den Straßen in Richtung London trieb – eine schillernde Gestalt. Er war immer in die kostbarsten Stoffe gekleidet und stahl den Damen oft noch einen Kuss, wenn er sie ihrer Diamantringe entledigte. Ich fragte Sarah, ob sie glaubte, dass er sich immer noch auf den Straßen herumtrieb.

»Das glaube ich nicht«, antwortete sie. »Ich kann mich nämlich erinnern, dass unser Nachbar Mr. Newbery mir eines Tages erzählte, dass er Gentleman Jack in Tyburn hängen sehen habe und dass sein Kopf auf einem Pfahl auf der London Bridge stecke.«

Ich war noch dabei, diese Neuigkeit zu verdauen, als draußen ein Ruf ertönte, Mr. Carter einen Schrei und einen Fluch ausstieß und eines unserer Pferde wieherte und sich aufbäumte, so dass die Kutsche quer über die Straße schlitterte. Ich schrie auf, denn es schien mir vollkommen klar, was gerade geschah. »Das sind Wegelagerer! Wir werden ausgeraubt!«, rief ich Sarah zu.

Ich besaß keinen Schmuck, doch ich schob sofort meine kleine Tasche unter den Sitz, um sie in Sicherheit zu bringen. Unsere Kleider und Umhänge befanden sich in einer Truhe auf dem Dach der Kutsche, sie würden sofort gestohlen werden. Doch immerhin bliebe mir meine Tasche erhalten, in der ich meine eigenen, besonderen Dinge aufbewahrte: Haarbürsten, rosa Glacéhandschuhe, ein kleines Silberdöschen und zwei schöne Fächer.

Sarah legte ihre Tasche ebenfalls außer Sichtweite und schob ihren einzigen Schmuck (eine goldene Halskette, die unsere Großmutter ihr geschenkt hatte) unter den Kragen, so dass man ihn nicht sehen konnte.

Ein weiterer Ruf ertönte, doch wir hatten zu viel Angst, um aus dem Fenster zu schauen, denn mit Ausnahme von Gentleman Jack waren Wegelagerer im Allgemeinen gewalttätige, rohe Burschen, die erst schossen und einen dann ausraubten und sich nichts dabei dachten, einer Dame das Kleid vom Leibe zu reißen und sie im Hemd stehen zu lassen. Wir hatten sogar einmal von einem Wegelagerer gehört, dem es eingefallen war, einer Frau auch die Unterröcke zu stehlen und diese splitternackt auf der Straße zurückzulassen.

Unsere Kutsche kam quer auf der Straße zum Stillstand, und Sarah und ich klammerten uns aneinander. Wir hörten Mr. Carter jemandem etwas zurufen, wobei er etliche Flüche und Kraftausdrücke ausstieß.

»Ganz ruhig bleiben, guter Mann!«, kam die Antwort. »Ich bin kein Wegelagerer. Ich bin nur selbst überfallen worden.«

»Aus dem Weg!«, schimpfte Mr. Carter wieder und peitschte die Pferde, doch eines der hinteren Wagenräder war (wie sich herausstellte) im Straßengraben gelandet, und die Kutsche rührte sich nicht von der Stelle.

»Ich versichere Euch, dass ich die Wahrheit sage!«, ertönte die Stimme des Mannes wieder. »Ich war im Ausland und bin auf dem Weg von Southampton nach Hause überfallen worden. Meine zwei Pferde wurden mir – mitsamt meinem ganzen Gepäck – gestohlen. Das, was ich am Leib trage, ist alles, was ich noch habe.«

»Eine nicht sehr glaubwürdige Geschichte!«, gab Mr. Carter zurück.

»Das ist sie wahrhaftig nicht, mein Herr. Mein Name ist Giles Copperly und meine Familie lebt in Parkshot.«

Sarah klammerte sich an mich. »Die *Copperlys ...*«, sagte sie.

Ich schnappte nach Luft und nickte. Der kleine Weiler Parkshot war nur einen Katzensprung von Chertsey entfernt, und wir hatten von der Familie Copperly gehört, weil es reiche Gewürzhändler waren, die unserer Kirche ein Glasmalereifenster gestiftet hatten.

Sarah streckte den Kopf hinaus. »Mr. Carter«, sagte sie, »meine Schwester und ich kennen die Copperlys.«

»Wirklich?«, fragte Mr. Carter ungläubig.

»Ich bin mir sicher, dass er ...« Sie unterbrach sich und fragte: »Mr. Copperly, wie lautet der Name Eures Vaters?«

»Thomas, Madam«, kam die Antwort.

»Das stimmt.« Sarah öffnete den Kutschenschlag, und Giles Copperly trat näher. Er war etwa fünfundzwanzig Jahre alt, hatte einen dunklen Teint, dunkelbraune Augen und gesunde Zähne.

»Euer ergebener Diener, meine Damen«, sagte er mit einer sehr tiefen Verbeugung, und ich hatte den Verdacht, dass er bei der Begrüßung seinen Federhut gelüftet hätte, wenn er denn einen getragen hätte.

Mr. Carter brummelte etwas vor sich hin und sagte dann: »Wenn Ihr Euch sicher seid, Madam.«

Sarah nickte Mr. Carter bestimmt zu. »Ich bin Sarah, und das ist meine Schwester Hannah«, sagte sie zu Giles Copperly. Er nickte mir zu, und ich lächelte und neigte leicht den Kopf, wie ich es Leute von Stand hatte tun sehen. »Wir wohnen in Chertsey und fahren zu unserer Familie nach Hause«, fuhr Sarah fort. »Es tut uns Leid, dass Ihr in solch eine missliche Lage geraten seid, und wir würden uns sehr freuen, Euch nach Parkshot zu bringen.«

»Gott sei Dank!«, sagte Giles Copperly, ergriff

Sarahs Hand und küsste sie. Sie sah ihn an, lächelte und lief (zu meiner großen Überraschung, denn Galane, die in den Laden kamen, schäkerten häufig mit uns und es bedeutete uns gar nichts) dunkelrot an.

Mr. Carter bat Giles um Hilfe, um die Kutsche wieder gangbar zu machen, und dieser half ihm, sie aus dem Straßengraben heraus und wieder auf die Straße zu hieven (während Sarah, wie ich bemerkte, ihr Haar glättete und ihre Lippen aufeinander presste, um sie rosa zu färben). Dann gesellte sich Giles Copperly für den Rest der Fahrt zu uns. Ich hoffte auf eine interessante Unterhaltung – denn es stellte sich heraus, dass er gerade von einer Reise zu den Südseeinseln zurückgekehrt war –, doch Sarah und er unterhielten sich die meiste Zeit nur miteinander und sprachen den ganzen Weg nach Parkshot von wenig anderem als von verschiedenen Arten von Kräutern und Zucker. Wir ließen ihn dort zurück, und ich war wirklich froh, als er uns allein ließ, weil ich ihn für einen Langweiler hielt. Anschließend wurden wir das kurze Stück nach Hause gefahren.

Wir fuhren durch die Hauptstraße von Chertsey, und die Leute blieben stehen und starrten uns an – weil es selten vorkam, dass ein so schönes und kostbares Vierergespann durch den Ort fuhr – und wir lachten und winkten, wenn wir Leute sahen, die wir kannten. Ich war sehr erleichtert, als ich im Vorbeifahren im ganzen Ort nirgends Anzeichen von Pest sah: keine versiegelten Häuser, keine Türen mit dem gefürchteten Zeichen darauf, und der Friedhof lag so friedlich da wie zuvor, die Erde war nicht hoch aufgeschüttet und voller Leichen, wie es in London der Fall gewesen war.

Ich lehnte mich aus dem Fenster und dirigierte Mr. Carter zu unserem Haus. Unsere gemütliche, frisch mit goldfarbenem Stroh gedeckte Kate stand unmittelbar hinter dem Obstgarten mit Apfelbäumen, und meine Brüder saßen auf der Pforte, die dorthin führte. Sie spielten das Burgkönigspiel und schubsten sich gegenseitig von oben herab, wie sie es immer taten. Doch plötzlich, als sie die vornehme Kutsche auf sich zukommen sahen, blieben sie reglos sitzen, und die Kinnlade klappte ihnen herunter.

Bevor die Kutsche hielt, hatten wir gerade noch Zeit, unseren wunderschönen Obstgarten zu bewundern, der in voller weißer Blütenpracht stand, und die Scheune, in der Vater arbeitete und die über und über mit glänzendem Efeu und den sternförmigen Blüten des Goldflieders bedeckt war. Dann stieg Mr. Carter ab, um den Schlag zu öffnen und die Trittstufen für uns hinabzulassen.

Sarah und ich warfen uns einen Blick zu, und sie legte den Finger auf den Mund. Wir hoben die Röcke hoch, stiegen auf eine gezierte Art aus und neigten den Kopf absichtlich so tief, dass die Jungen uns nicht erkennen konnten – doch ich hatte nicht an mein Haar gedacht, und *das* ließ sich nun mal nicht verbergen. Bevor ich auch nur einen Fuß auf den Boden setzte, schrie Adam: »Es sind Hannah und Sarah!«, und die drei Jungen rannten quietschend und kreischend vor Lachen auf uns zu. Bei dem Lärm, den sie veranstalteten, kam Anne, dicht gefolgt von Mutter, aus der Kate gestürzt, um die Jungen zu tadeln, weil sie sich zwei so vornehmen Damen gegenüber so vertraulich verhielten. Beide blieben überrascht auf dem Weg stehen, doch unsere Überraschung war noch größer, denn wir erkannten, dass unsere Mutter ein Kind erwartete. In der Tat war ihr Bauch so riesig, dass es aussah, als würde sie jeden Moment niederkommen.

Sie zog uns so eng an sich, wie sie konnte, und weinte, und wir weinten auch und freuten uns, zu Hause in Sicherheit zu sein. »Alle meine Kinder sind beisammen«, sagte sie, »sicher eingefahren wie die Ernte!«

Knapp eine Woche später saßen Sarah und ich selbst auf der Pforte des Obstgartens, mitten zwischen den heruntersegelnden Blüten. Wir kamen gerade von Abbys Häuschen wieder, wo wir Abbys Mutter hatten erzählen müssen, dass ihre Tochter an der Pest gestorben war. Obwohl wir betont hatten, wie tapfer Abby gewesen war und dass es nur ihr zu verdanken sei, dass die kleine Grace noch lebte, war ihrer Mutter anzumerken, dass ihr ein fremdes Kind ganz und gar gleichgültig war und es ihr lieber gewesen wäre, wenn ihre eigene Tochter noch lebte. Sie weinte auch darüber, dass es keinen friedlichen Kirchhof gab, wohin sie hätte gehen und Blumen bringen können, da Abbys Leiche zusammen mit der vieler anderer in einer Pestgrube gelandet war.

»Ich wünschte, wir hätten irgendein Andenken von Abby für ihre Mutter mitgenommen«, sagte ich zu Sarah, als wir auf der Pforte saßen und über unseren Besuch bei ihr sprachen. »Eine Haarsträhne oder irgendeinen kleinen Gegenstand – oder zumindest ein oder zwei Worte von Abby für sie.«

»Für solche Dinge war keine Zeit«, sagte Sarah. »Wir hatten zu viel damit zu tun, die kleine Grace aus dem Haus zu holen und zu fliehen. Aber vielleicht hätten wir uns als Trost für Abbys Mutter einige letzte Worte ausdenken sollen.«

Ich seufzte und nickte, denn es war ein schwieriger und unangenehmer Besuch gewesen, wir wollten die arme Frau einfach nur so bald wie möglich wieder allein lassen und nach Hause gehen. Nach einer Weile versuchte ich jedoch, nicht mehr an dieses traurige Thema zu denken. Ich warf Sarah einen Blick zu, um herauszufinden, was mit ihr los war, denn sie hatte sich den ganzen letzten Tag oder noch länger schon seltsam benommen. »Wann willst du denn wieder nach London zurückgehen?«, fragte ich sie.

»Du scheinst es ja sehr eilig zu haben.«

Ich zuckte die Achseln. »Na ja, ich dachte, wir hätten ausgemacht, dass wir wieder an die Arbeit wollen, den Laden wieder öffnen, die Kunden zurückbekommen und ...«

»Und Tom wiedersehen!«, beendete sie meinen Satz.

»Das auch«, sagte ich mit einem leichten Herzklopfen.

Hierauf folgte eine lange Pause, doch schließlich sagte sie: »Du wirst vielleicht nicht sehr glücklich darüber sein, Hannah, aber ich finde, dass wir hier bleiben sollten, bis unsere Mutter das Kind bekommen hat.«

»Das ist aber lang!«, protestierte ich, denn trotz Mutters Umfang sollte es noch über einen Monat dauern, bis unser neues Geschwisterchen geboren wurde.

»Mutter ist nicht mehr so kräftig, wie sie war, und wir wissen nur zu gut, wie anstrengend es ist, einen Säugling zu versorgen, seit wir uns um die kleine Grace gekümmert haben«, sagte Sarah.

»Aber Anne wird ihr helfen! Und eine Magd aus dem Dorf kommt jeden Tag vorbei.«

»Die Magd hat mit den Jungen schon alle Hände voll zu tun – und Anne ist nichts als ein faules junges Gänschen!«

Ich lachte zwar, aber es stimmte: Anne hatte nichts als Spiele, Mode und Flausen im Kopf. Außerdem hatte sie sich in der Schule nie allzu viel Mühe gegeben, so dass sie kaum ihren eigenen Namen lesen und schreiben konnte.

»Sie wird unserer Mutter gewiss keine Hilfe sein!«, sagte Sarah. »Und da wir die ältesten Töchter sind, finde ich, dass wir bleiben sollten.«

Ich seufzte. »Für wie lange denn?«

»Acht Wochen oder so – vielleicht sogar zwölf. Wir werden sehen.«

Ich stieß einen Protestschrei aus und zählte es an den Fingern ab. »In zwölf Wochen ist es ja bereits Juli! Bis dahin haben wir unsere Kunden alle verloren – dann gehen sie ihr Zuckerwerk längst woanders einkaufen.«

»Unsinn!«, sagte Sarah. »Es gibt nur wenige Zuckerbäckereien in der Stadt – und wir sind wahrscheinlich die beste. Sie werden wieder zu uns zurückkommen.«

»Aber …« Wieder stieß ich einen Seufzer aus, denn ich konnte kaum ausdrücken, wie sehr ich mir wünschte, nach London zurückzugehen, weil ich es selbst kaum verstand. Als wir weggegangen waren, hatte ich die stinkende Stadt gehasst und konnte es kaum ertragen, auch nur an ihren Namen zu denken. Doch jetzt, da die Pest aus ihren Straßen verschwunden war, würden die Leute zurückkommen, die Theater und Geschäfte wieder öffnen und wir würden alles wieder so heiter vorfinden, wie es zuvor gewesen war. Außerdem (und davor fürchtete ich mich am meisten) könnte Tom, wenn ich zu lange brauchte, um zurückzukehren, eine andere Liebste finden, denn wir hatten weder Versprechungen noch Schwüre ausgetauscht – nicht einmal einen Kuss.

»Ich glaube, dass wir für eine Weile hier bleiben müssen, Hannah«, sagte Sarah sanft.

Aufgebracht sprang ich vom Tor, ging ins Haus und ließ Sarah allein in die Ferne starren. Ich liebte mein Zuhause und meine Familie, doch während meiner Abwesenheit hatte ich mich von ihnen entfremdet. Obwohl wir vom Alter her nicht weit auseinander waren, kam ich mir jetzt viel älter vor als Anne, und was John, George und Adam betraf – nun, sie trieben mich in den Wahnsinn, indem sie mir immerzu hinterherrannten und mich neckten, bis ich hätte schreien können. Hinzu kam, dass Mutter zwar so lieb war wie immer, Vater jedoch oft missmutig war, sich Gedanken über sein Geschäft machte und nicht übermäßig begeistert zu sein schien, dass es in seinem Haus bald ein neues Baby gäbe. Alles in allem war Chertsey, nachdem sich die Aufregung um unsere Rückkehr gelegt hatte und wir unsere Abenteuer wieder und wieder erzählt hatten, genauso öde, wie ich es immer schon empfunden hatte.

Ich ging in die Kate, setzte mich auf die Fensterbank und starrte auf den Weg. Noch zwölf Wochen! Wie sollte ich das bloß aushalten? Vielleicht könnte ich Tom schreiben, zu Händen des Apothekers Doktor da Silva, dessen Lehrling er war, und ihm sagen, dass ich ihn nicht vergessen hätte und bald zurückkäme. Das hatte ich bereits von Dorchester aus getan, hatte jedoch keine Antwort bekommen. Ich war mir auch gar nicht sicher, ob er den Brief jemals erhalten hatte. Unser Brief an Vater und Mutter war jedenfalls nicht angekommen.

Ich war ganz in Gedanken versunken, als ich mit einem Mal eine Bewegung am anderen Ende des Weges wahrnahm. Ein Reiter kam auf unser Haus zu, und ich wusste sofort, dass es sich um Giles Copperly handeln musste, denn er hatte uns am Tag zuvor und am Tag vor diesem Tag aufgesucht, jedes Mal, um sich zu bedanken, dass wir ihn nach Hause gebracht hatten. Drei Besuche innerhalb einer Woche!

Als ich so in seine Richtung schaute, hielt er dort an, wo Sarah auf der Pforte saß, und stieg ab. Sarah nahm die Hand, die er ihr hinstreckte, doch anstatt ihr vom Tor zu helfen, führte er ihre Hand an den Mund und küsste sie. Sie sahen sich so lange in die Augen, während die Blüten um sie herum zu Boden fielen, dass es mir unangenehm wurde und ich den Blick abwendete.

Und dann fiel es mir wie Schuppen von den Augen. Natürlich! *Das* war der Grund, weswegen Sarah nicht nach London zurückwollte …

Die Jungen lagen im Bett, und es waren Kerzen angezündet, als Sarah an diesem Abend Mutter sagte, dass sie in Chertsey bleiben würde, um ihr während des Wochenbetts beizustehen.

Mutter freute sich so sehr über diese Neuigkeit, dass ich mich schuldig fühlte, weil ich nicht so gern dableiben wollte. Dennoch konnte ich es nicht lassen, Sarah einen Seitenhieb zu verpassen, indem ich bemerkte, mir wäre aufgefallen, dass Giles Copperly zum dritten Mal aufgetaucht sei – gewiss habe er sich doch nicht *wieder* für unsere Hilfe bedanken wollen?

»Nein«, sagte sie und errötete dabei. »Nein, er kam nur vorbei, um zu fragen, ob ich sehen wolle, wie viele Gewürze sie in ihrem Lagerhaus in Parkshot haben. Ich werde nächste Woche zu Besuch dorthin gehen.«

Mutter, Anne und ich sahen sie alle drei an. »Ach wirklich?«, fragte Mutter.

Sarah stand auf und stocherte im Feuer herum. »Ja. Sie haben Vanille, Muskatnuss, Anissamen und eine Zimtart, von der ich noch nie gehört habe. Mr. Copperly meint, dass wir einige davon vielleicht für unser Konfekt verwenden könnten.«

»Giles Copperly!«, sagte Mutter. Das war alles, was sie sagte, doch ihr Ton sprach Bände.

»Er sieht sehr gut aus. Ist er dein Kavalier?«, fragte Anne neugierig, doch Sarah gab keine Antwort.

»Ihr zwei Mädels wollt also weitere zwei Monate hier bleiben und mir die Haare vom Kopf fressen, hm?«, warf Vater ein.

Ich sah Sarah an. »Mitte Juli sind wir aber ganz bestimmt wieder in London, oder?«, fragte ich.

»Natürlich«, sagte Sarah. »Bis dahin hat sich das neue Baby eingelebt und Mutter ist wieder ganz die Alte.«

»Und vielleicht hast du bis dahin auch genügend Zimt gesehen«, neckte ich sie und freute mich, als sie wieder errötete.

Wir saßen da und guckten ins Feuer, und das Einzige, was wir hörten, war das Knacken des Holzes und ein leises Geräusch, wenn Vater an seiner Tabakspfeife zog.

»Warum gehst du denn nicht allein vor, Hannah«, rief Anne plötzlich aus, »wenn du unbedingt nach London zurückmöchtest?«

Ich sah sie an, und mein Herz tat einen riesigen Satz. Noch nie hatte Anne etwas so Kluges gesagt.

»Das geht nicht«, sagte Mutter sofort.

»Natürlich geht es nicht«, sagte Sarah. »Hannah würde es nicht schaffen, ganz allein Zuckerwerk herzustellen, das Geschäft zu betreiben und die Leute zu bedienen.«

»Na ja«, sagte Anne, »wie wäre es denn, wenn ich mit ihr ginge? Dann könnten wir uns die Arbeit teilen.« Sie sah alle flehentlich an. »Wenn ich in London wäre, würde ich sehr hart arbeiten! Ihr wärt überrascht, wie hart ich arbeiten würde.«

Bei diesem Vorschlag blieb mir erst fast die Luft weg, doch als er nicht auf der Stelle von allen lauthals abgelehnt wurde, wurde ich doch sehr aufgeregt.

»Was hältst du davon, Vater?«, fragte Mutter nach einer Weile.

»Ich halte es für eine gute Idee«, antwortete er. »Anne würde ein Gewerbe erlernen, und wir hätten zwei Mäuler weniger zu stopfen.«

»Glaubst du denn, dass Anne das schaffen würde?«, fragte Mutter Sarah.

»Natürlich würde sie das schaffen«, warf ich schnell ein. »Sie könnte alles tun, was ich bisher getan habe: einkaufen und Wasser von der Wasserstelle holen und den Zucker zerstoßen. Sie kann im Laden bedienen, während ich die schwierigeren Aufgaben übernehme«, fügte ich hinzu, weil ich schon viel von Sarah gelernt hatte.

»Und was soll mit Anne geschehen, wenn du nach London zurückgehst, Sarah?«, fragte Mutter.

»Tja«, sagte Sarah bedächtig, »wenn Anne in London zurechtkommt, warte ich hier den rechten Augenblick ab und bleibe noch eine Weile bei dir, Mutter. Vielleicht sogar, bis das Baby abgestillt ist.«

»Und dann könnte Anne nach Chertsey zurückkommen oder wir finden eine andere Anstellung für sie in London«, sagte ich, und ich sagte es in fröhlichem Ton, denn vor meinem geistigen Auge sah ich bereits, wie Tom und ich uns wiedersahen – wie wir uns trafen und küssten und miteinander auf Blumenwiesen spazierten wie in den Bänkelliedern.

»Aber bist du denn vollkommen sicher, dass es ungefährlich ist?«, fragte Mutter.

Ich sprang auf und küsste sie. »Natürlich! In London ist es so sicher wie in Mutters Schoß.«

KAPITEL 5

London

»MAIFEIERTAG UND AUS DIESEM GRUND
NACH WESTMINSTER, AUF DEM WEG
VIELE MILCHMÄDCHEN MIT BLUMENKRÄNZEN
UM IHRE MELKKÜBEL GETROFFEN,
DIE EINEM FIEDLER HINTERHERTANZTEN.«

*W*as ist denn das für ein riesiger Platz?«
»Oh! Für wen hält sich dieses dreiste Weibs-
stück denn?«

»Hannah, sieh dir doch ihre Kleider an!«

»Was für ein wunderschöner Kahn!«

»Sieh dir das doch einmal an!«

Bei unserer langsamen und stetigen Fahrt die
Themse aufwärts stellte Anne meine Geduld auf eine
harte Probe. Erst lehnte sie sich über die linke Seite
des offenen Flusskahns, dann über die rechte, zeigte
überallhin, rief etwas aus, hielt vor Staunen die Luft
an oder rief mich herbei, damit ich mir erst dies und
dann das ansah. Es war Maifeiertag, und es schien fast
so, als sei ganz London auf dem Fluss unterwegs.

Mutter hatte uns gebeten, bis zum ersten Mai in
Chertsey zu bleiben, und am vergangenen Abend waren sie, Sarah, Anne und ich wie immer an diesem Tag
in den Obstgarten gegangen und hatten Leintücher
unter den Bäumen ausgebreitet. Im Morgengrauen
waren wir aufgestanden und in den Obstgarten gestürmt (Mutter war allerdings nicht gerannt). Dort
hatten wir uns die feuchten Tücher auf das Gesicht
und an die Arme gedrückt, weil es, wie jedermann

weiß, ein wunderbares Schönheitsmittel ist, sich das Gesicht mit Tau zu waschen, der am ersten Mai aufgefangen wurde.

Solchermaßen erfrischt, waren wir zu Milch und Brot ins Haus gegangen, und dann war die ganze Familie zum Anger spaziert, wo ein Maibaum aufgestellt war und eine kleine Maikirmes stattfand, mit Buden, die Zinn, Porzellan, Obst und Spielzeug verkauften, und Darbietungen von Jongleuren, tanzenden Milchmägden und Barbieren, die Zähne zogen. Anne und die Jungen amüsierten sich königlich, doch nach den Vergnügungen in London war ich davon nicht besonders beeindruckt – was ich ihnen allerdings wohlweislich verschwieg.

Doch es war ein fröhlicher Abschied von Chertsey, denn nachdem wir den ganzen Vormittag auf dem Jahrmarkt verbracht hatten, gingen Anne und ich zusammen mit unserer Familie zum Kai hinab und nahmen das Boot nach London, das die ganze Strecke innerhalb von vier Stunden zurücklegen sollte. Mutter und Sarah weinten, als wir ins Schiff stiegen, aber Anne und ich weinten nicht, weil wir beide so aufgeregt waren wegen des Abenteuers, das uns bevorstand.

Wir fuhren an Hampton Court vorbei (wo sich der König, wie man sagte, zwei Reservegeliebte hielt, für den Fall, dass er dort übernachtete) und auch am großen Palast in Richmond, wo die gute Königin Elisabeth I. gestorben war. Mit jeder Meile, die wir zurücklegten, erhöhte sich die Anzahl der Schiffe auf der Themse, und in der Nähe der Stadt war der Fluss vom einen Ufer zum anderen mit kleinen Booten übersät: Skullboote, Skiffe, Flusskähne, geschmückte Ruderboote und die prächtig verzierten Kähne, die den verschiedenen Zünften der Stadt gehörten.

Nach etwa zwei Stunden sagte mir Anne (die zwei von unserem Vater angefertigte Körbe mit Deckeln trug), dass sie mir etwas gestehen müsse. Da ich bester Laune war, versprach ich ihr, ihr zu verzeihen. Schließlich war es ein schöner Tag und nichts konnte *so* falsch sein, dass es unverzeihlich war.

Daraufhin nahm sie den kleineren Korb, an dem sie sich, wie ich bereits bemerkt hatte, schon geraume Zeit zu schaffen machte. »Ich habe eine Freundin mitgebracht«, sagte sie mit einem flehentlichen Blick. »Ich konnte mich einfach nicht von ihr trennen.« Bei diesen Worten öffnete sie den Deckel und holte eine kleine weiße Katze heraus, die sie mir auf den Schoß setzte. »Ist sie nicht süß? Sieh doch nur ihre rosa Ohren! Ich konnte den Gedanken, sie zurücklassen zu müssen, nicht ertragen.«

Das Kätzchen krabbelte mir sofort auf die Schulter, und weil es so aussah, als wolle es sich ins Wasser stürzen, nahm ich es und setzte es mit einem kleinen Seufzer in den Korb zurück. Ich hielt es für angemessen zu seufzen, weil ich die ältere Schwester war und die Verantwortung trug, aber ehrlich gesagt liebte ich Katzen ebenso sehr wie Anne, und es machte mir gar nichts aus, dass sie die kleine Katze mitgenommen hatte. Zudem wusste ich, dass in London immer noch Tiermangel herrschte und dass sie – wie auch die Katzenkinder, die sie mit der Zeit bekäme – dort willkommen wäre.

»Du bist nicht wirklich böse auf mich, oder?«, fragte Anne. »Eine der Katzen auf dem Bauernhof hatte fünf Junge, und ich konnte sie einfach nicht alle zurücklassen. Beinahe hätte ich zwei mitgenommen …«

»Du musst dich um sie kümmern«, ermahnte ich sie. »Du musst Reste für sie zum Fressen finden und jeden Dreck wegmachen, den sie hinterlässt.«

»Das will ich ganz bestimmt tun!«, sagte sie eifrig.

»Und du musst sie in diesem Korb lassen und nicht herausnehmen, bis wir beim Laden angelangt sind.«

Auf einigen größeren Booten gab es entweder mehrere Musiker oder nur einen Fiedler oder einen Sänger zur Unterhaltung der reich und prunkvoll gekleideten Passagiere, die an Deck saßen und Speisen und Wein zu sich nahmen. Als wir an Chelsea vorbeikamen, kreuzten wir ein Skiff mit vier ziemlich betrunkenen Galanen an Bord, die, als sie uns sahen, ihren Ruderer bedrängten, uns flussaufwärts zu folgen. Das tat er etwa zwei Meilen lang, und die Galane nannten uns reizende und charmante Engel, sandten ausgefallene Komplimente über das Wasser herüber und versprachen uns nicht nur ewige Liebe, sondern auch allerhand Schmuck und schöne Dinge, wenn wir uns nur zu ihnen gesellten. Wir ließen uns nicht einmal dazu herab, in ihre Richtung zu blicken, doch insgeheim kicherten Anne und ich eine Menge und es tat uns geradezu Leid, als ihr Ruderer, der genauso betrunken zu sein schien wie seine Gäste, uns irgendwo in dem Gewimmel vor dem Königspalast aus den Augen verlor.

Hier in Whitehall passierte das Aufregendste unserer Reise: Das königliche Boot segelte mit dem König selbst an Bord an uns vorbei. Seine Königliche Hoheit saß auf einem prunkvoll geschnitzten Sessel auf dem Vorschiff und sah ganz genauso aus wie auf den Bildern, die wir in Nachrichtenblättern und auf Wirtshausschildern gesehen hatten. Mit seinem olivenfarbenen Teint, dem langen schwarzen Haar, das ihm in Locken bis auf die Schultern fiel, und dem schmalen dunklen Schnurrbart sah er sehr gut aus, kraftstrotzend und voller Leben. Er war in prachtvolles, mit Spitze besetztes Satin gekleidet, und ein pelzbesetzter Samtumhang lag auf seinen Schultern. Er lächelte und winkte den Umstehenden zu und strahlte großen Charme aus. Er zog alle Blicke auf sich. Zu seinen Füßen schienen mehrere Spaniel zu spielen, denn wir konnten sie japsen hören, und als ein mit Tierhäuten beladener Lastkahn vorbeifuhr, sprangen zwei von ihnen auf eine Leiste am Heck, schnupperten herum und ließen sich dann dort nieder wie zwei winzige Galionsfiguren.

Das Boot Seiner Königlichen Hoheit war reich verziert und wunderschön geschnitzt und vergoldet, und allerlei leuchtende Wimpel flatterten an seinem Sonnensegel. Königin Catherine saß ruhig im Schatten unter einem Gobelinbaldachin (man erzählte sich, dass sie ein Kind erwarte), und sie sah gut und gepflegt aus. Als wir sie sahen, ließen wir den Blick über den hinteren Teil des Boots schweifen, in der Hoffnung, einen Blick auf Barbara Castlemaine oder irgendeine andere der Kammerzofen zu erhaschen, doch wir sahen niemanden. An Bord spielte ein Musikerquartett, und überall um uns herum auf dem Wasser riefen die Leute »Lang lebe der König!« und »Gott segne den König!«. Vor lauter Aufregung, ihn dort zu sehen, stimmten wir in die Rufe ein und riefen lauter als alle anderen: »Gesundheit für König Charles!«

Tatsächlich hätte es keinen besseren Zeitpunkt für unsere Reise auf dem Wasser geben können. Es gab so viel zu sehen, dass Anne ständig in verzücktes Geschrei ausbrach, wenn sie nicht gerade vollkommen sprachlos war vor Staunen. Ich war ebenfalls sehr beeindruckt und ergriffen, doch da ich nun mal achtzehn Monate älter war als sie und bereits in London gelebt hatte, versuchte ich, mir nichts anmerken zu lassen.

Nachdem wir an den großen Lagerhäusern, Gerbereien und Kerzenmachereien auf der Kaiseite der City vorbeigefahren waren, legte unser Flusskahn in Swan Steps kurz vor der London Bridge an (bei deren Anblick Anne vor lauter Staunen beinahe in Ohnmacht fiel). Hier stiegen wir aus, was sich als keine einfache Angelegenheit erwies, denn die Landungsbrücke war vor lauter Matsch und Unrat sehr rutschig. Wir trugen weder Holzpantinen noch Stelzenschuhe, um uns vor dem Dreck zu schützen, sondern hatten hochhackige Lederpantoffeln und unsere besten Kleider an und waren mit Bündeln, unserem zusammengerollten Bettzeug, Körben und dem Kätzchen beladen. Zum Glück kam uns der Schiffer, der uns hierher gerudert hatte, zu Hilfe. Erst kümmerte er sich um unser Gepäck, dann hob er uns hoch, warf sich erst eine von uns, dann die andere über die Schulter und trug uns nacheinander die Treppenstufen hinauf. Als wir somit sicher gelandet waren, zahlte ich dem Mann unseren Fahrpreis und gab ihm ein großzügiges Trinkgeld. Mit dem jämmerlich miauenden Kätzchen im Korb machten wir uns zum Crown and King Place und zu unserem Laden auf. Inzwischen war ich ganz kribbelig, so froh war ich, zurück zu sein, und so aufgeregt war ich bei dem Gedanken, Tom bald wiederzusehen.

Anne blieb am Anfang der Fish Lane stehen. »Können wir auf die Brücke gehen?«, fragte sie atemlos und drehte sich danach um. »Einfach nur zum Schauen…«

Ich schüttelte den Kopf. »Das können wir nicht!«, sagte ich. »Nicht mit den ganzen Sachen, die wir tragen müssen. Sieh doch, wie voll es dort oben ist. Wir würden von links nach rechts geschubst werden und all dessen beraubt werden, was wir besitzen.«

Weil Anne so enttäuscht aussah, fügte ich hinzu, dass wir jetzt zwar wegen des armen eingesperrten Kätzchens so schnell wie möglich zu unserem Laden gelangen sollten, aber hierher zurückkämen, sobald wir konnten. Wir waren so beladen, dass ich in die Versuchung kam, eine Sänfte zu nehmen, doch ich unterließ es, weil ich noch nie eine genommen hatte und nicht genau wusste, wie man es anstellte. Außerdem war es Maifeiertag, und bestimmt würde irgendein wucherischer Sänftenträger mir zu viel dafür abknöpfen. Und ich hatte Sarah doch versprochen, gut auf das Geld zu achten, das sie mir gegeben hatte, vernünftig damit umzugehen und mich nicht ausnehmen zu lassen.

Es dauerte eine Ewigkeit, bis wir uns durch die Menge gedrängt hatten, weil Anne trotz des unaufhörlich miauenden Kätzchens an jeder Straßenecke stehen blieb und alles – die Geschäfte und die Passanten – mit offenem Mund anstarrte. Ich dachte darüber nach, wie sehr sich London verändert hatte, seit ich es zuletzt gesehen hatte. Beim Anblick der vielen Menschen, der überfüllten Geschäfte, der lauten Schankstuben und der unzähligen Straßenhändler, die ihre Ware anpriesen, fiel es mir schwer, mir die stille, freudlose Stadt in Erinnerung zu rufen, wie ich sie zuletzt gesehen hatte, als hinter jeder Straßenecke der Tod lauerte. Jetzt hatte ich das Gefühl, dass diese andere, pestverseuchte Stadt nur ein Traum gewesen war.

»Ich hätte nie gedacht, dass es so viele Leute auf der Welt gibt«, sagte Anne verwundert, als wir in Cheapside eine Pause einlegten und uns die breite gepflasterte Straße voller Pferde, Kutschen und Leute im

Sonntagsstaat ansahen. »Und es gibt so viele Dinge zu kaufen!«, fügte sie hinzu und stürzte zu einer Auslage, in der allerlei luxuriöse Kragen und Schals aus Samt und Seide ausgebreitet waren. »Ich schwöre, dass ich nicht ruhen werde, ehe ich alle Geschäfte Londons gesehen habe.«

»Dann fürchte ich, dass du niemals schlafen wirst!«, entgegnete ich.

Wir gingen immer tiefer in die Stadt hinein, weg von den Menschenmassen und in die ruhigeren Gassen und Gässchen. Hier konnte ich noch Spuren des vergangenen Jahres erkennen, denn manche Geschäfte hatten noch zu und ihre Läden waren geschlossen, und es gab Häuser – die einst versiegelt waren –, auf denen immer noch ein verblasstes rotes Kreuz zu erkennen war oder deren Türen noch verbarrikadiert waren. In manchen von diesen Häusern waren ganze Familien gestorben und niemand war gekommen, um die Unterkunft zu übernehmen.

Anne blieb vor einem der Friedhöfe stehen und spähte neugierig durch den Zaun. »Warum ist der Boden rechts und links vom Gehweg so hoch aufgeschüttet?«, fragte sie. »Die Erde liegt bestimmt sechs Fuß höher als der Weg.«

Ich blieb einen Augenblick betroffen stehen, denn in diesem Kirchhof, St. Dominic, waren zu Anfang der Pestzeit die Leichen der drei kleinen Kinder und ihrer Mutter begraben worden, die in unserer Nachbarschaft gelebt hatten. »Weil so viele an der Pest gestorben sind, dass es keinen Platz mehr gab, um sie alle richtig zu begraben«, erklärte ich Anne. »Es ging nicht anders, man musste die Leichen übereinander stapeln. Und als die Friedhöfe brechend voll waren, ging man dazu über, die Leichen in Pestgruben zu werfen.«

Anne rang nach Luft. »Übereinander gestapelte Leichen…«, stieß sie hervor.

»Insgesamt sollen hunderttausend Menschen an der Pest gestorben sein.«

»Hunderttausend …«, sagte Anne schaudernd. »Ich kann mir nicht einmal vorstellen, wie viele das sind.«

»Und das ist auch besser so«, sagte ich.

Wir gingen weiter. Inzwischen waren wir ganz in der Nähe unseres Geschäfts und ich begann mich zu beunruhigen, weil ich keine Vorstellung davon hatte, was ich dort antreffen würde. Waren all unsere Nachbarn gestorben? War das bisschen, das wir in unserem Geschäft hinterlassen hatten, gestohlen worden? Hatte sich irgendein betrunkener Straßenhändler, der gesehen hatte, dass es leer stand, dort häuslich niedergelassen? Wen sollte ich um Hilfe bitten, wenn nicht alles so war, wie es sein sollte?

»Dort hängt unser Schild!«, sagte ich zu Anne und wies auf die Stelle hinter der Reihe von Geschäften, wo unser Metallschild schaukelte und quietschte. »Dort, die kandierte Rosenblüte!«

Wir blieben vor dem Laden stehen und schauten nach oben. Das obere Stockwerk war an einen Seiler vermietet, der seine Schnüre dort lagerte, doch ich wusste nicht, ob er die Pest überlebt hatte.

»Das ist es also?«, fragte Anne mit enttäuschter Stimme, was mich daran erinnerte, dass ich vor elf Monaten beim Anblick des Ladens ebenfalls enttäuscht gewesen war. »Es ist ziemlich klein«, sagte sie.

Ich nickte. »Ich weiß. Es ist nicht wie die Geschäfte auf der Brücke – oder wie die in Cornhill oder Cheapside. Hattest du mehr erwartet?«

»Ich hatte es mir größer vorgestellt«, sagte sie. »In leuchtenden Farben angemalt. Mit einem Glasfenster.«

»Tja, vielleicht können wir ja bald ein solches Geschäft haben, wenn wir hart arbeiten und unser Glück machen. Vielleicht sogar einen kleinen Laden im Royal Exchange!«

Ich legte meine Bündel auf den Boden, suchte den Schlüssel (den Sarah an einem langen Band um meinen Hals befestigt hatte) und schloss die Ladentür auf. Doch im Inneren war es stockfinster, und um überhaupt etwas sehen zu können, mussten wir erst einmal die Läden öffnen. Diese waren allerdings mit drehbaren Griffen verschlossen und durch den feuchten Winter so aufgequollen, dass sie sich nicht mehr öffnen ließen. Ich versuchte es kurz, gab jedoch bald auf und ging hinüber zu unserem Nachbarn Mr. Newbery, der in seinem Laden *Das Pergament und die Feder* edle Schreibwaren verkaufte.

Ich stieß die Tür zu seinem Geschäft reichlich nervös auf, denn ich hatte Mr. Newbery zuletzt gesehen, als die Pest ihren Höhepunkt erreicht hatte und die Leute in unserer Umgebung starben wie die Fliegen. Am Tag, an dem Sarah und ich London verlassen hatten, hatte er uns mitgeteilt, dass er seinen Laden schließen und sich stattdessen nur noch in der Schänke *Die drei Tauben* aufhalten würde.

Doch jetzt war er wieder in seinem Laden: ein kleiner untersetzter Mann, der über seinen Ladentisch gebeugt *The Intelligencer* las, die übergroße Perücke hatte er in den Nacken geschoben. Er war sehr überrascht, als er mich erkannte.

»Die junge Hannah!«, sagte er. »Wie geht es Euch? Doch nicht an der Seuche gestorben?«

»Nein, doch nicht!«, sagte ich und schmunzelte, weil ich mich an Mr. Newberys Vorliebe für Gruselgeschichten erinnerte. »Ich bin gekommen, um unseren Laden wieder zu öffnen.«

»Ist Eure Schwester Sarah bei Euch?«

»Nein, sie …«

»Ist sie tot?«

Ich lachte. »Nein. Es geht ihr gut. Meine jüngere Schwester ist bei mir – Sarah ist zu Hause geblieben, um unserer Mutter während des Wochenbetts beizustehen.«

»Aha, das Wochenbett«, sagte er. »Eine schwierige Angelegenheit. Hebammen töten mehr Frauen und Kinder, als sie retten.«

»Ach, für unsere Mutter ist es das siebte Kind und sie wird es höchstwahrscheinlich allein zur Welt bringen«, sagte ich. »Doch ich bin gekommen, um Euch um Hilfe zu bitten, Mr. Newbery. Unsere Läden sind geschlossen, und wir brauchen einen starken Mann, um sie zu öffnen.«

»Ihr wollt also wieder Handel treiben?«

»Ja, das wollen wir.«

Seufzend schüttelte er den Kopf. »Euer Geschäft muss in einem schrecklichen Zustand sein – es ist bestimmt alles von den Ratten weggefressen worden, will ich meinen. Oder die Räume sind tropfnass vom vielen Regen, den wir in den letzten Monaten hatten. Und dann in Zeiten wie diesen in London zu sein – wisst Ihr denn nicht, dass es für dieses Jahr schlechte Vorzeichen gab? In der Kathedrale von St. Paul gibt es einen Bußprediger, der sagt, dass Gottes schreckliche Strafe den Sündenpfuhl London bald treffen wird.«

»Aber Ihr treibt doch auch noch Handel?«, gab ich zu bedenken.

»Tja, wie dem auch sei«, sagte er mürrisch, zog seine Perücke wieder in die Stirn und strich seine Locken glatt.

Er zog einen kleinen Hammer und einen Schemel unter seinem Ladentisch hervor und folgte mir auf die Straße. Ich stellte ihn meiner Schwester vor, und nachdem er sie mit einer Schauergeschichte über ein Flugblatt erschreckt hatte, in dem ein Hellseher beschrieb, wie er in einer Vision London lichterloh hatte brennen sehen, stieg er auf den Schemel und hieb mit seinem kleinen Hammer auf den Drehgriff ein, um den Holzladen aufzubekommen. Wenn dieser Laden herabgelassen wurde, fiel Licht in das Geschäft, und er diente zugleich als Ladentisch, auf dem wir unser Zuckerwerk verkauften.

»Genau wie ich es mir gedacht habe – alles schmutzig und unordentlich«, sagte Mr. Newbery befriedigt, nachdem er einen Blick in den Raum geworfen und den Kopf geschüttelt hatte.

Er kehrte in sein eigenes Geschäft zurück, und Anne und ich verschafften uns einen Überblick über den Raum, der nicht sehr in Mitleidenschaft gezogen war – obwohl die Wände mit Schimmelpilz überzogen waren und abgewaschen werden mussten und die Kräuter, die wir auf den Boden gestreut hatten, schwarz geworden waren und einen modrigen, unangenehmen Geruch verbreiteten. Doch der Kamin sah aufgeräumt und ordentlich aus, das Kaminbesteck stand dort, wo es hingehörte, die Kochtöpfe hingen darüber, und der kleine Brenner zum Erhitzen des Zuckerwassers stand auch in der Nähe. Auf einer Seite des Raums war die marmorne Arbeitsfläche, auf der Holzfässer in verschiedenen Größen lagerten. Jetzt waren sie leer und staubig, doch nach einem Gang auf den Markt würden sie bald mit Zucker, Gewürzen und den unterschiedlichen Früchten und Kräutern, mit denen wir arbeiteten, gefüllt sein.

»Es ist ein gutes Geschäft, und um Sarahs willen

müssen wir hart arbeiten und uns bemühen, Erfolg zu haben«, sagte ich zu Anne.

»Natürlich tun wir das!« Meine Schwester nahm Kitty (denn so hatten wir sie genannt) aus ihrem Korb heraus und begann mit ihr zunächst im Geschäft und dann im Hinterzimmer herumzulaufen und ihr zu erzählen, dass dies ihr neues Heim sein würde und sie nicht herumstrolchen, sondern bei uns bleiben und ein braves, verspieltes Kätzchen sein sollte.

»Anne, hörst du mir überhaupt zu?«, fragte ich.

Sie nickte. »Du hast gesagt, dass wir hart arbeiten müssen.« Sie setzte Kitty wieder ab und wandte sich mit einem fragenden Ausdruck an mich. »Aber was hat denn dein Nachbar da gesagt – über London, das in Flammen steht?«

»Nichts weiter«, sagte ich. »Es macht Mr. Newbery Spaß, anderen Angst einzujagen.«

Und wenn Gottes schreckliche Strafe die Stadt treffen sollte, dachte ich bei mir, dann war das bestimmt schon letztes Jahr geschehen. Die Pest: Etwas Schlimmeres konnte es gar nicht geben.

Es ist wohl bekannt, dass eine Londoner Hausfrau alles, was sie braucht, an der eigenen Haustür kaufen kann, und den Beweis dafür erbrachten wir, indem wir unseren Laden eröffneten, ohne für irgendeine unserer Besorgungen außer Haus gehen zu müssen. Innerhalb von zwei Tagen waren die Wände – sowohl im Geschäft als auch in unserem Zimmer, das dahinter lag – frisch gekalkt, der Boden war mit Soda geschrubbt und es lagen frische Kräuter darauf, und wir hatten uns einen neuen Wasserbehälter und einige Emaillekrüge angeschafft. In allen Kerzenhaltern steckten neue Wachskerzen, und zwei glänzende Zuckerhüte standen gebrauchsfertig da. Somit war alles vorbereitet, und wir brauchten nur noch zum Covent Garden Market zu gehen, um die Blüten und Früchte zu kaufen, die wir benötigten, um mit der Zubereitung des Zuckerwerks zu beginnen.

Bevor wir Chertsey verließen, hatten Sarah und ich besprochen, was für Zuckerwerk wir zuerst anfertigen sollten, und uns für kandierte Rosenblüten, Orangen- und Zitronenschnitze und Kräuterkonfekt entschieden. Das waren einfache Leckereien, bei denen Anne mithelfen konnte und von denen wir wussten, dass sie sich gut verkauften. Sobald wir dann einige Standardleckereien auf Vorrat hätten, könnten wir anfangen, die zeitaufwändigeren Dinge wie Marzipanfrüchte, gezuckerte Veilchen und kandierte Pflaumen anzufertigen.

Somit war alles vorbereitet, und ich war sehr zufrieden mit mir. Es gab allerdings eine Sache, die mich die ganze Zeit beschäftigte. Ich war noch nicht zu Doktor da Silva gegangen, um mit Tom zu sprechen.

Wir hatten zu viel zu tun, redete ich mir ein, vieles musste geordnet werden und ich konnte Anne nicht allein lassen, weil sie die ganze Zeit Anleitung brauchte.

Das waren meine Ausreden – doch was mich wirklich davon abhielt, war die Angst, dass Tom mich in den acht Monaten, in denen ich weg gewesen war, vergessen haben könnte. Denn es wurde gesagt, dass Lehrjungen nicht sehr treu waren, und warum sollte er auf ein Mädchen warten, das vielleicht nie zu ihm zurückkam? Auf ein Mädchen, das er zu allem Überfluss noch nicht einmal geküsst hatte ... Solange ich ihn nicht aufsuchte, konnte ich so tun, als sei zwischen uns alles in Ordnung.

Am Spätnachmittag des dritten Tages, als alles im Geschäft erledigt war, gewann jedoch der Teil von mir, der Tom sehen wollte, die Überhand über den Teil von mir, der sich davor fürchtete. Einer Eingebung folgend, zog ich meine Arbeitskleidung aus und mein bestes grünes Taftkleid an, das ich vor langer Zeit getragen hatte, als Tom und ich nach Chelsea spazierten, um Veilchen zu pflücken, und das ich in unserem Hinterzimmer zurückgelassen hatte. Ich steckte mein Haar zum Dutt auf, wie es jetzt in London Mode war, und schmückte meine Locken mit ein paar Zweigen tiefblauer Rosmarinblüten. Rosmarin für die Erinnerung, dachte ich und betete darum, dass Tom mich nicht vollkommen vergessen hatte.

Bevor ich mich auf den Weg machte, drehte ich ein paar Runden im Laden und wirbelte meine Röcke herum, um Anne das Futter in einem dunkleren Grün und den gerüschten Unterrock sehen zu lassen. »Sehe ich sehr vornehm aus?«, fragte ich sie. »Glaubst du, dass mein Tom von meinem Anblick völlig überwältigt sein wird?«

Sie lachte und nickte. »Aber du musst dein Mieder ein bisschen weiter herunterziehen, um mehr von dem zu zeigen, was Männer gerne sehen!«

Ich tat so, als sei ich entrüstet. »Das hast du von den Ludern in unserem Dorf gelernt, nehme ich an.« Anne errötete, und ich fügte hinzu: »Ich habe das größte Vertrauen in Toms hohe Meinung von mir, ohne das tun zu müssen, aber herzlichen Dank für deinen Rat.« (Obwohl ich der Ehrlichkeit halber zugeben muss, dass ich in unser Zimmer ging und mein Mieder ein wenig straffer schnürte, was mehr oder weniger dieselbe Wirkung hat.)

Auf dem Weg zu Doktor da Silvas Geschäft war ich aufgeregt und unruhig. Ich würde mich nicht so benehmen, als sei er mein Liebster, beschloss ich, sondern so tun, als wäre ich kürzlich vom Land zurückgekommen und würde einen alten Freund besuchen.

Als ich um die Ecke bog, sah ich das glänzende Schild des *Silbernen Globus* außen vor dem Geschäft des Apothekers und es wurde mir bang ums Herz. Wie oft hatte ich in den letzten Monaten davon geträumt, dass ich zurückkam und Tom sah, dass er von seiner Arbeit aufblickte, mich dort stehen sah und dann zu mir kam und meine Hand nahm …

Doch als ich vor dem Geschäft stand, waren die Fensterläden geschlossen, die Tür war mit zwei Holzbrettern verbarrikadiert und … ein verblichenes rotes Kreuz war darauf gemalt.

Die Pest!

Mein Herz begann laut zu klopfen – so laut, dass ich es trotz des Lärms um mich herum hören konnte. Ich blieb eine Weile still stehen und versuchte, mich wieder zu beruhigen, dann ging ich um das Geschäft herum und untersuchte die geschlossenen Fensterläden, für den Fall, dass es irgendwo einen Spalt gab, durch den ich hineingucken konnte. Doch ich fand keinen Spalt und ging wieder zur Tür. Ich presste meine Hände auf das Holz, als könne es mir irgendein Geheimnis verraten, schloss die Augen und sah das Geschäft wieder vor mir, wie es im letzten September gewesen war: die Auslagen voller Schutzmittel gegen die Pest und eine Schar von Leuten vor der Tür, einige mit Pestflecken, andere mit eiternden Pestbeulen. Alle warteten darauf, zu Doktor da Silva vorgelassen und von ihm behandelt zu werden, weil viele Ärzte die Stadt bereits verlassen hatten und die ärmeren Leute sich sowieso nur einen Apotheker leisten konnten. Es hätte mich nicht überraschen sollen, dass er und Tom an der Seuche zugrunde gegangen waren. Warum hatte ich geglaubt, dass sie aus irgendeinem Grund gegen die Krankheit gefeit waren?

Hinter mir hörte ich eine Straßenhändlerin rufen: »Reisigbündel! Heiße Reisigbündel! Fünf für sechs Pence!«, doch ich sah mich nicht um.

»Brauchst du einen Apotheker, Kindchen?«

Ich schlug die Augen wieder auf, drehte mich um und stand einer kleinen alten Frau gegenüber, die tief gebückt unter der Last eines Bauchladens voller Reisig ging, den sie um den Hals gebunden trug.

Ich schüttelte den Kopf. »Nein, ich brauche keinen Apotheker – oder doch, aber nur diesen hier.«

»Doktor da Silva? Der ist hier geblieben, um uns zu helfen, nicht wahr? Der arme Mann. Er hat denselben Weg genommen wie die meisten anderen, die hier geblieben sind. Beide, er und sein Bursche.«

»Haben sie …, haben sie beide die Pest bekommen?«

Sie schwankte trotz ihres Stocks. »Jawohl«, sagte sie und nickte. »Sie sind genau dann erkrankt, als wir dachten, dass es alles vorbei ist. Um Weihnachten herum war das.«

»Könnt Ihr Euch erinnern, was passiert ist?«

Sie zuckte die Achseln. »Was passiert ist? Einfach nur das Übliche: Am einen Tag waren sie da, am nächsten ging es ihnen dreckig, am übernächsten waren sie tot.«

»Also sind sie … wirklich tot?«

»Jawohl. Alle beide. Tot und in der Grube. Ich selbst bin zu der Zeit meistens im Haus geblieben. Bin beinahe drei Monate lang nicht auf die Straße gegangen und schier verhungert.« Plötzlich warf sie mir einen misstrauischen Blick zu. »Aber weswegen brauchst du einen Apotheker? Hast du irgendein Fieber?«

Ich schüttelte den Kopf.

»Man sagt, dass die Seuche wiederkommen kann, wenn wir nicht aufpassen.«

Ich sagte nichts.

»Immer, wenn ich Reisigbündel verkaufe, tue ich mir drei Spinnen in die Tasche. Und was machst du?«

Doch ich konnte ihr nicht antworten, weil mir die Kehle vor lauter Tränen zugeschnürt war und ich das Gefühl hatte, daran zu ersticken.

Nach einer Weile warf sie mir einen merkwürdigen Blick zu und zog weiter. »Fünf Reisigbündel für sechs Pence! Fünf Reisigbündel für sechs Pence!«, rief sie, als sie die Gasse entlangging.

Eine Zeit lang blieb ich an die Hauswand gelehnt stehen. Die Tränen liefen mir übers Gesicht und hinterließen Flecken auf meinem Taftkleid. Dann zog ich die Rosmarinzweige aus meinem Haar und ließ sie fallen, denn hier war niemand, der sich an mich erinnern könnte.

KAPITEL 6

Nelly Gwyn

»SAH NELLY GWYN IN HEMDSÄRMELN
UND MIEDER VOR DER TÜR
IHRER UNTERKUNFT IN DRURY LANE STEHEN –
SIE SAH SEHR HÜBSCH AUS.«

In der ersten Zeit, nachdem ich von Toms Tod erfahren hatte, war ich keine gute Gesellschaft für Anne, weil ich so voller Trauer war, dass ich zu einer harten Lehrmeisterin wurde. Ich schlief schlecht, stand vor dem Morgengrauen auf, arbeitete von früh bis spät, machte nachts bei Kerzenschein weiter und erwartete dasselbe von ihr.

Ich konnte es kaum fassen, dass ich Tom für immer verloren haben sollte. Meine Freundin Abby hatte ich, als die Pest sie befallen hatte, Tag für Tag schwächer und elender werden sehen. Dass sie sterben musste, erschien mir schließlich unausweichlich. Doch Tom… Als ich ihn zuletzt sah, war er stark, gesund und tapfer gewesen und hatte mir Kusshände zugeworfen, während unsere Kutsche sich von London entfernte. Wie konnte er jetzt tot sein?

Nachts lag Anne friedlich schlafend neben mir, und ich lag wach da und konnte nicht aufhören zu grübeln, auf welche Art er gestorben sein mochte. Ich hatte gesehen und gehört, dass die Pest viele verschiedene Formen annehmen konnte: Sie konnte so schnell und brutal verlaufen, dass die Kranken tot waren, ehe sie überhaupt bemerkten, dass sie sich angesteckt hatten;

sie konnte schmerzhaft sein, sich aber über eine so lange, zermürbende Zeit hinziehen, dass die Leidenden fast schon glaubten, dass sie die Pest überleben würden; sie konnte aber auch so langwierig und unerträglich sein, dass ihre Opfer mit dem Kopf gegen die Wand rannten, um endlich Frieden zu finden.

Welchen Tod war Tom gestorben?

Und wieder erfuhr ich den Schmerz, kein Grab zu haben, das ich besuchen konnte. Nachdem unsere Großmutter in Chertsey gestorben war, gingen wir mehrmals im Jahr zum Friedhof, um Blumen auf ihr Grab zu legen oder es – an ihrem Geburtstag – mit ausgeschnittenen Bildern und schwarzen Bändern zu schmücken. Es wäre ein großer Trost für mich gewesen, wenn Tom ein Grab gehabt hätte, denn ich hätte Herzen aus Papier und Blumen hingebracht und mich an sein Grab gesetzt und ihm erzählt, was mir auf dem Herzen lag. Doch ich konnte nirgendwo hingehen und mich nicht neben einen grasbewachsenen Grabhügel setzen, und als ich bei der Gemeindekirche Erkundigungen einzog, sagte man mir, dass Tom und Doktor da Silva in ein Pesthaus in eine andere Gemeinde gebracht worden seien, als sie sich mit der Pest ansteckten. Dort sagte man mir, sie seien gestorben und ihre Leichen in der Pestgrube gelandet. Es war nicht einmal bekannt, um welche Pestgrube es sich handelte, man wusste nur, dass sie sich vor den Stadttoren befand.

Nachdem ich zwei Wochen lang von früh bis spät betrübt war, setzte Anne meiner finsteren Stimmung jedoch ein Ende, indem sie mir mitteilte, dass sie nach Chertsey zurückwolle.

Wir hatten das Geschäft gerade geschlossen, und ich hatte sie angewiesen, Zucker für die Leckereien des nächsten Tages zu zerstoßen, ohne auch nur zu bemerken, wie abgespannt und unglücklich sie war.

»Hannah«, sagte sie mit einem Mal, »ich erkenne dich nicht mehr wieder. Du bist trübselig und vergrämt, und ich erkläre hiermit, dass ich nach Hause möchte.«

Ich konnte es kaum fassen. »Aber warum denn? Was sagst du denn da für Sachen?«

»Ich weiß, dass du deinen Liebsten verloren hast, und ich habe den Mund gehalten, weil ich dachte, deine Übellaunigkeit würde vergehen, aber es sieht ganz so aus, als würde es immer schlimmer und als würdest du von Minute zu Minute trübseliger«, sagte sie herausfordernd. »Ich hatte geglaubt, dass wir uns hier in London prächtig miteinander amüsieren und es genießen würden, zusammen zu sein und gemeinsam auf Jahrmärkte und ins Theater zu gehen, aber ich tue nichts anderes, als Tag und Nacht Zucker zu zerstoßen – und zu allem Überfluss meckerst du ständig herum, weil ich es nicht gut genug mache.«

Ich sah sie überrascht an. Diese Worte waren so untypisch für Anne, dass ich vermutete, sie sagte sie sich schon seit Tagen in Gedanken immer wieder auf.

»Wenn du mir also meinen Lohn ausbezahlst, nehme ich Kitty mit und mache mich auf den Weg nach Hause«, fuhr sie fort. »Lieber bin ich in Chertsey bei den Färsen als in London bei einer blöden Kuh.«

Ich schnappte nach Luft.

»So, und jetzt habe ich es gesagt und bin froh darüber.«

Ich sah meine kleine Schwester an, die so herausfordernd vor mir stand, und ich musste zugeben, dass in ihren Worten mehr als nur ein Körnchen Wahrheit steckte, obwohl ich natürlich sehr verletzt war.

»Eine blöde Kuh, sagst du also …«

»Das habe ich nicht so gemeint.«

»Oh doch, das hast du!«

Es gab eine lange Pause. »Ist es wirklich so schlimm?«, fragte ich.

Sie nickte. »Nie kann ich mit dir reden. Immerzu geht es dir elend. Du stehst da und siehst dir alles an, was ich tue, und dann sagst du, dass es verkehrt ist.« Ihre Unterlippe bebte. »Ich fühle mich hier nicht wohl.«

Bei diesen Worten schämte ich mich so sehr, dass ich zu ihr trat und sie in die Arme nahm. »Es tut mir Leid«, sagte ich. »Ich habe nur an mich gedacht und war scheußlich und gemein.«

»Das warst du wirklich.«

»Aber geh bitte nicht nach Hause«, bat ich und hielt sie in meinen Armen fest. »Ohne dich würde ich es gar nicht schaffen.«

»Mal sehen«, sagte sie. »Du musst mir versprechen, dass du in Zukunft netter zu mir bist, und wenn du dich an dein Versprechen hältst, bleibe ich vielleicht hier …«

So versöhnten wir uns wieder, und ich beschloss, Tom so gut es ging zu vergessen, denn ich wusste, dass alle durch die Pest irgendjemanden verloren hatten: Eltern, Dienstherrn, Freund, Ehemann, Kind … Und wenn alle traurig und übellaunig herumliefen, würde sich die Welt wirklich in einen schrecklichen Ort verwandeln.

Ich begann, eine andere Seite von Anne zu entdecken, eine Londonseite sozusagen, denn hier wurde sie zu einer schnellen, guten Arbeiterin und war ganz und gar nicht faul. Nachdem eine gewisse Zeit vergangen war und die Märkte alle wieder geöffnet hatten, erlaubte ich ihr, morgens allein loszuziehen und die Früchte und Blumen zu kaufen, die wir brauchten. Sie machte ihre Sache gut, weil sie es verstand, den Preis herunterzuhandeln, und, ganz im Gegensatz zu mir, so dreist war, den Marktleuten eine Blume, die sich später als beschädigt herausstellte, oder eine Orange mit einem Wurm darin einfach zurückzubringen. Doch ich gab ihr kein Geld mehr mit, denn als sie mit einer Geldbörse unter ihren Unterröcken losgezogen war, war ihr das eine Mal alles von einem Wahrsager an einem Stand abgeknöpft worden, und das andere Mal hatte sie einen trillernden Vogel aus Holz für Kitty erstanden, der innerhalb von einer Stunde kaputtgegangen war. Also schickte ich sie mit Wertmarken los oder sie ging zu einem unserer Hauslieferanten, bei denen wir anschreiben lassen konnten.

Wir sprachen oft von unserer Familie und darüber, ob Sarah und Giles einander liebten, und wir fragten uns auch, ob unsere Mutter die Niederkunft gut überstanden hatte und ob wir einen Bruder oder eine Schwester bekommen hatten. Ich hatte das Gefühl, dass für unsere Mutter alles gut gegangen war, weil es Sarah andernfalls bestimmt gelungen wäre, es uns wissen zu lassen.

Man hatte befürchtet, dass mit dem warmen Wetter auch die Pest zurückkommen würde, doch obwohl auf den Totenlisten immer noch einige Pesttode verzeichnet waren, stiegen die Zahlen zum Glück nicht wieder an. Die Leute strömten weiterhin nach London – entweder wieder in ihre alten Stellungen oder um den Platz derer einzunehmen, die gestorben waren –, bis die Stadt schließlich genauso überfüllt, hitzig und hektisch wirkte wie im vergangenen Jahr.

In den ersten Tagen nach unserer Rückkehr hatten wir nicht viele Kunden, aber das machte uns nichts aus, weil wir auch noch nicht viel Zuckerwerk anzubieten hatten. Doch nach und nach merkten unsere alten Kunden, dass wir wieder geöffnet hatten, und das Geschäft lief langsam besser. Ich freute mich, in einem solchen Gewerbe wie dem unseren tätig zu sein, weil es zwar stimmt, dass Zuckerwerk nur vergängliches, triviales Zeug ist, unsere Kunden jedoch sagten, dass sie sich davon besser fühlten und es sie aufmunterte. Eine vornehme Dame erzählte uns, dass sie sich jederzeit eine süße Delikatesse gönnte, wenn es sie danach gelüstete und sie sie sich leisten konnte, weil das Leben zu kurz sei, um darauf zu verzichten.

Eines Tages machten wir einen Ausflug, um uns die Geschäfte auf der London Bridge anzusehen. Wir brauchten eine ganze Stunde, um uns bis Southwarke durchzuschlagen, weil auf der Brücke vierzig Geschäfte und ebenso viele Verkaufsstände geöffnet hatten und eine Unmenge Leute zu Fuß, zu Pferd, in Kutschen und Sänften sich den wenigen Platz dort streitig machten. Auf der Brücke erstanden wir je zwei Paar Dufthandschuhe und ein paar Nussknacker in einem neuen Kochgeschäft. Miniaturfrüchte aus Marzipan liefen in unserem Kaufladen nämlich besonders gut, und bisher verbrachten wir jedes Mal, wenn wir diese zubereiteten, zwei oder drei Abende damit, eine Menge Mandeln mit dem Hammer zu knacken. Die neuen Nussknacker würden diese Arbeit enorm beschleunigen.

Als wir die Brücke verließen, um uns die unzähligen kleinen Geschäfte in der Nähe des Towers anzusehen, hörten wir, wie in der königlichen Menagerie ein Furcht erregendes Gebrüll ertönte. Ich machte einen Satz, und Anne stieß vor Schreck einen Schrei aus.

Ein Knoblauchverkäufer erzählte uns, dass jetzt die Zeit sei, zu der die Tiger und Löwen des Königs gefüttert wurden. Als ich das hörte, versprach ich Anne, dass wir bald die Menagerie besuchen und uns diese Löwen und Tiger ansehen würden, weil sie sehr riesig und wild waren, aber trotzdem mit unserer kleinen Kitty verwandt sein sollten (was ich mir kaum vorstellen konnte).

An einem anderen Tag, nachdem ich ein bisschen Pergament von Mr. Newbery bekommen hatte (der mich fragte, ob ich mein Testament aufsetzen wolle, und mir sagte, dass es klug wäre, das zu tun), verfasste ich eine Liste des ganzen Zuckerwerks, das wir anfertigten, als Reklame für unsere Ware. Auf der Liste stand:

Mit Zuckerguss überzogene Rosenblüten
Gezuckerte Veilchen
Kandierte Pflaumen
Kräuterkonfekt
Kandierte Engelwurz
Glasierte Kirschen
Kandierte Orangenschale
Zitronen- und Orangenschnitze
Veilchenkuchen

Daneben fertigten wir natürlich Marzipanfrüchte an, doch weil ihre Herstellung so ungeheuer langwierig war, konnten wir sie nicht immer vorrätig haben. Ich gab mir große Mühe mit der Rechtschreibung der Namen dieser Artikel, obwohl vielen unserer Kunden eine falsche Schreibweise nicht auffallen würde, und nachdem ich bunte Tinte von Mr. Newbery bekommen hatte, malte ich für diejenigen, die nicht lesen konnten, neben den Namen ein Bild der jeweiligen Leckerei. Ich machte zwei Ausfertigungen davon und hängte eine so an den Holzladen, dass man sie sah, wenn das Geschäft geöffnet hatte, und eine innen an die Wand.

Wir begannen ebenfalls Duftkugeln herzustellen, wie Martha es uns beigebracht hatte, denn in einem Lagerhaus in Wharf Lane hatte ich ein Fass voll Nelken gesehen, das sehr günstig verkauft wurde, und hatte einfach den ganzen Posten erstanden. Orangen waren teuer, doch sie brauchten weder von bester Qualität zu sein noch sehr frisch, also kauften wir fünf oder sechs nicht ganz so hochwertige zur gleichen Zeit, bestückten sie rundum mit Gewürznelken und verzierten sie mit Bändern und Spitze. Dafür hatte Anne eine besondere Begabung, und sie suchte auf Lumpenmärkten nach Borteresten und anderen fröhlichen Verzierungen, die wir verwenden konnten. Diese Duftkugeln hängten wir in den Laden, und sie verkauften sich gut, denn solche hübschen Artikel waren bei den Leuten von Stand sehr begehrt.

Ich wünschte mir, dass Sarah sah, wie gut wir unsere Sache machten, und freute mich auf ihre Rückkehr, weil ich wissen wollte, wie es unserer Mutter ergangen war, doch ich liebte meine Arbeit so sehr, dass ich ihr meine Stelle als Ladenbesitzerin nicht wieder abtreten wollte. Außerdem wusste ich, dass Anne jetzt nicht mehr nach Hause zurückwollte, also begann ich mich zu fragen, ob wir nicht zu dritt zusammenarbeiten könnten, wenn Sarah zurückkam. Der Laden und das Hinterzimmer waren klein, doch Anne könnte ein niedriges Rollbett bekommen, das man unter dem größeren hervorzog, und vielleicht könnte man im Hinterhof, neben dem Abort, einen Lagerraum anbauen.

Anne und ich verstanden uns bald wieder sehr gut, weil wir vom Alter her nicht weit auseinander waren und als Kinder immer zusammen gespielt hatten, also dauerte es nicht lange, bis wir uns wieder nahe standen. Es lief alles sehr gut für uns, und wenn ich Tom nicht verloren hätte, wäre ich glücklich gewesen. Obwohl ich jetzt nicht mehr über ihn sprach, dachte ich immerzu an ihn. Ich fragte mich, ob ich überhaupt einen anderen Liebsten finden würde, wann das sein sollte und was für ein Mensch er wohl wäre. Doch immer, wenn ich diesen Tagträumen nachhing und an diese mysteriöse Gestalt dachte, hatte sie Toms Gesicht. Vielleicht, so schloss ich daraus, gäbe es keinen anderen Freier für mich und ich würde ungeküsst bleiben und als alte Jungfer sterben.

Zu meiner großen Überraschung hielt eines Morgens eine hübsche vergoldete Kutsche, die von zwei Schimmeln mit roten und goldenen Bändern in der Mähne und im Schweif gezogen wurde, vor dem Geschäft. Ein Lakai mit einem Samtumhang sprang herab, öffnete schwungvoll den Schlag und ließ die Trittstufen hinab.

Als ich zur Tür eilte, um diesen bedeutenden Kunden zu begrüßen, hörte ich Gekicher aus dem Inneren des Wagens kommen (denn es schien auch ein Mann darin zu sein), und dann stieg eine junge Frau aus, deren Haar ebenso rot leuchtete wie meins.

Ich strich meine Schürze glatt und hatte gerade noch Zeit, Anne im Hinterzimmer zuzurufen, dass sie herkommen solle. »Beeil dich!«, rief ich aufgeregt, weil ich nicht vergessen hatte, dass dieselbe Kundin schon einmal zum Geschäft gekommen war. »Es ist Nelly Gwyn. Die Schauspielerin!«

Anne stürzte in den Laden, und wir machten beide einen Knicks vor Nelly, denn auch wenn sie, wie Mr. Newbery später bemerkte, nur eine Hure war, war sie sehr hübsch. Sie war sehr schön angezogen: Ihr Kleid war aus dem feinsten silbernen Stoff geschneidert, und darüber trug sie einen ausgesprochen modischen kleinen Umhang aus schwarzem Samt mit einem Futter aus silbernem Pelz.

»Ich freue mich sehr, dass Euer Geschäft endlich wieder geöffnet ist!«, sagte sie. »Ich hatte oft Lust auf einige Eurer Leckereien.«

»Danke, Madam«, murmelte ich. »Wir waren auf dem Land und sind erst kürzlich wieder hier eingetroffen.«

»Und es ist alles in Ordnung und Ihr habt die Heimsuchung überlebt?«, fragte sie mit einem Blick ins
Hinterzimmer. »Wo ist Eure Schwester?«

»Sie ist im Augenblick zu Hause bei unserer Familie, Madam«, sagte ich, »aber stattdessen ist meine
jüngere Schwester hier.«

Nelly lachte und ließ dabei ihre kleinen perlmutt-
farbenen, absolut ebenmäßigen Zähne sehen. »So, so!
Ein ordentlicher Vorrat an Schwestern!«, sagte sie und
sah sich um. »Euer Geschäft ist eine wahre kleine
Oase. Draußen in den Straßen ist die Hölle los, aber
hier drinnen herrscht himmlische Ruhe.«

»Vielen Dank«, sagte ich, knickste nochmals und
dachte bei mir, dass ich Sarah auf der Stelle schreiben
musste, um ihr das zu erzählen.

»Und jetzt gebt mir bitte einige Eurer gezuckerten
Veilchen. Ich könnte schwören, dass mich nach einer
Vorstellung nichts so sehr aufmuntert wie sie.«

Auf der Stelle tat es mir sehr Leid, dass wir in der
letzten Woche keine frischen Veilchen auf den Blumen-
märkten bekommen hatten und ihr darum keine gezuckerten verkaufen konnten. Ich entschuldigte mich dafür, versprach ihr, dass wir bis Mitte nächster Woche
welche hätten, und überzeugte sie davon, dass Zitronenschnitze als Erfrischung genauso geeignet waren.

Ich zählte zehn davon ab und packte sie in eine
große Papiertüte. »Seid Ihr zurzeit auf der Bühne zu
sehen, Madam?«, fragte ich, weil ich aus Annes Gesicht ablesen konnte, dass sie ganz sprachlos war vor

Bewunderung und mehr über unsere Besucherin erfahren wollte.

Sie nickte. »Ich habe ein Engagement als Lady Wealthy im *English Monsieur*. Ich – eine vornehme Dame! Die bloße Vorstellung hat genügt, um den Adel in enormen Aufruhr zu versetzen!«

Anne und ich lachten beide.

Kitty kam aus dem Hinterzimmer heraus, und Nelly bückte sich, hob sie hoch und küsste sie mit den Worten: »Ich habe einen Pelzmuff in genau derselben Farbe!« Weil sie nicht sehr verschmust war, protestierte Kitty lautstark, als sie angefasst wurde, und Nelly setzte sie wieder ab. »Oh! Sind das Apfelsinen?«, rief sie aus und wies auf zwei dekorierte Duftkugeln, die im Geschäft hingen. Wir bejahten und erklärten, dass sie dazu da seien, in den Kleiderschrank gehängt zu werden. Nelly erzählte uns, dass sie bis vor kurzem in den Pausen im Theater Orangen verkauft hätte (was ich natürlich wusste, aber ich tat so, als sei es mir neu), und sagte dann, dass sie beide nehmen wolle, weil sie so hübsch seien.

»War denn eine von Euch schon mal im Theater?«, fragte sie beim Bezahlen.

»Noch nie«, sagte ich.

»Ich wollte immer schon hin!«, platzte Anne heraus.

»Dann sollt Ihr hingehen«, sagte Nelly und wickelte eine ihrer roten Locken um den Finger. »Wenn ich wiederkomme, um meine Veilchen zu holen, bringe ich Euch Karten für die Vorstellung von nächster Woche mit.«

Wir waren völlig überwältigt, dankten ihr und machten noch einen Knicks – in der Tat hüpften wir, als sie zur Tür hinausging, auf und ab wie Schiffe auf der See. In der Zwischenzeit hatte sich ein kleiner Menschenauflauf vor unserem Geschäft gebildet, denn Nelly war beim Volk sehr beliebt, weil sie aus einfachen Verhältnissen kam und es so weit gebracht hatte. Außerdem ging (wie Mr. Newbery uns mitteilte) in den Kaffeehäusern das Gerücht um, dass der König Barbara Castlemaines überdrüssig war und vielleicht Nelly zu seiner Geliebten machen wollte, denn er war häufig im Theater zu sehen, wenn sie auftrat.

Nelly hielt Wort. Sie kam wieder, um Veilchen zu kaufen, und brachte uns bei der Gelegenheit Theaterkarten mit. Anne und ich waren beim Gedanken daran, hinzugehen, unglaublich aufgeregt, obwohl Mr. Newbery behauptet hatte, dass er für kein Gold der Welt einen Fuß in ein Theater setzen würde. »Es ist dort abscheulich und überfüllt, und Theater sind Brutstätten für allerlei Arten von Krankheiten«, sagte er.

»Aber das sind Schänken dann doch auch?«, fragte ich ihn freundlich, weil Mr. Newbery ein großer Freund von Schankstuben war und häufig auf der Schulter eines Nachtwächters nach Hause getragen wurde. Hierauf gab er mir keine Antwort.

Am Tag der Vorstellung schlossen wir das Geschäft

gegen Mittag und waren um zwei Uhr im Theater, obwohl die Vorstellung selbst erst um drei Uhr begann. Wir wollten jedoch sichergehen, dass wir auch wirklich alles sahen, was es zu sehen gab. Wir hatten unsere besten Kleider angezogen – ich hatte das tiefrote Kostüm aus Linsey-Woolsey an, das ich geschneidert und bestickt hatte, und Anne mein blaues Leinenkleid vom Vorjahr. Beide trugen wir neue gestärkte Spitzenhäubchen und Dufthandschuhe.

Das King's Theatre lag im Rider's Yard in Drury Lane, also ein ganzes Stück von unserem Geschäft entfernt am anderen Ende der Stadt und außerhalb der Stadtmauern. Von außen sah es nur wie ein gewöhnliches, etwas heruntergekommenes Haus aus, doch innen hatte es ein Glasdach, war kreisförmig angeordnet und hatte unzählige voneinander abgeteilte Logen, die in Reihen nach oben führten. Unsere Sitzplätze lagen in der Mitte des Theaters, und unter sowie über uns war je eine Galerie, wobei auf Letzterer die Lehrjungen saßen. Ganz unten war ein stufenförmig ansteigendes Parkett mit Bänken, auf denen gut angezogene junge Männer saßen, und neben der Bühne hielten sich die hübschen Orangen- und Zitronenverkäuferinnen auf, die den Leuten von Stand ihre Ware lauthals anboten und dabei, wie ich bemerkte, die jungen Männer in ihrer Nähe gründlich in Augenschein nahmen.

Anne und ich setzten uns und begannen, die Leute um uns herum mit großen Augen anzusehen, hierhin und dorthin zu schauen und abwechselnd durcheinander zu reden und vor Aufregung und vor Staunen die Luft anzuhalten. Obwohl wir frühzeitig angekommen waren, war das Theater bereits voller Leute, die sich miteinander unterhielten, lachten, umherwanderten, die Plätze tauschten, ihren Freunden etwas zuriefen, Gebäck aßen und herumalberten, so dass es mir eher wie eine Schankstube als wie ein Theater vorkam.

Auf der Bühne wurden verschiedene Nummern aufgeführt, um die Zuschauer zu amüsieren, bevor die Vorstellung begann: ein Tanzbär, ein Jongleur, ein Flötenspieler, der eine Gigue tanzte. Niemand schien sich wirklich für sie zu interessieren. Irgendwann fingen die Lehrjungen oben an, im Chor zu rufen: »Nelly, Nel-ly! Nel-ly!« Als auch andere Männer mit einstimmten, mussten wir uns die Ohren zuhalten, bis sie wieder damit aufhörten.

Anne lenkte meine Aufmerksamkeit auf das Parkett und wies mich auf ein Dutzend Frauen hin, die sich bei den Galanen aufhielten. Aber was für Frauen! Sie waren farbenfroh gekleidet, hielten sich entweder glitzernde Masken an Stäben vors Gesicht oder trugen so viele Schönheitspflästerchen und Pailletten, dass man kaum ihre Haut darunter erkennen konnte. Ihre Kleider waren aus prächtigen bunten Stoffen gefertigt, doch sie schienen geschneidert worden zu sein, als sie noch um einiges schlanker waren, denn ihre Brüste sahen aus, als würden sie bald aus ihren Miedern herausquellen. Sie kicherten, kokettierten und gingen von einem Mann zum nächsten.

Ich beugte mich zu Anne hinüber. »Das sind Huren«, flüsterte ich ihr ins Ohr. »Sie sind auf der Suche nach Freiern.«

Anne schnappte nach Luft, und wir schauten beide fasziniert zu, weil keine der Frauen so etwas wie Schamgefühl zu haben schien oder bedrückt wirkte. Ganz im Gegenteil, sie sprangen alle mit ebensolchen Allüren mit den Männern um, als seien sie Herzoginnen und nicht Dirnen.

»In Chertsey würde so etwas nicht gehen!«, sagte Anne, und wir konnten uns beide kaum mehr halten vor Lachen.

In diesem Augenblick, kurz bevor die Theatervorstellung begann, schob ein ganz in Schwarz gekleideter Mann eine große Kiste auf Rollen vor sich her auf die Bühne und stellte sie aufrecht hin. Schreiend, um all den Tumult zu übertönen, kündigte er mit einem seltsamen Akzent an, dass er der Graf de'Ath sei, ein Zauberer und Geisterbeschwörer, und sein geheimnisvolles Kabinett mitgebracht habe.

Unter den Zuschauern entstand ein kurzes Schweigen, weil alle sich für Magie und Zauberei interessierten (tatsächlich hatten Anne und ich vor, Madame le Strange, eine Wahrsagerin auf der London Bridge, aufzusuchen, weil es hieß, dass sie die Pest mitsamt der genauen Anzahl der Opfer vorhergesagt habe).

Graf de'Ath baute sich vor den Zuschauern auf, zwirbelte seinen Schnurrbart und fragte, ob es unter den Zuschauern einen gebe, der seiner Frau oder seinen Gläubigern zu entkommen wünsche. Dann bräuchte er nämlich nur in dieses magische Kabinett zu steigen, und er würde auf Nimmerwiedersehen verschwinden.

»Wohin geht er denn dann, Maestro?«, fragte einer aus den oberen Rängen, und der Graf sagte, dass das Kabinett den Betreffenden auf der Stelle in ein Land jenseits des Meeres befördern würde, wo er sein Dasein im Wohlstand fristen würde.

»Seine Sorgen werden verschwinden, und er wird für immer an einem warmen und prunkvollen Ort weilen«, sagte er mit starkem französischem Akzent.

»Dort bin ich auch immer, wenn ich im Wirtshaus fünf Ale getrunken habe!«, rief irgendein geistreicher Kopf.

Es schien so, als habe Graf de'Ath diese Bemerkung überhört. In der Tat schien er nichts von alldem zu bemerken, was um ihn herum vorging – weder die Leute, die hereinströmten, noch das Bellen der Schoßhunde der Damen noch eine Schlägerei, die sich in der Galerie zutrug, oder einen erneuten Ruf: »Nel-ly!«, der aus einer der Logen aufstieg.

»Wie viel kostet es denn, dorthin zu gehen?«, wollte jemand wissen.

Der Graf hob die Arme. »Es wird kein Geld den Besitzer wechseln«, sagte er. Dann machte er eine Pause, ehe er fortfuhr: »Es kostet den Betreffenden nur seine Seele.«

Bei diesen Worten entstand ein Schweigen, und mehrere Zuschauer bekreuzigten sich. Selbst die Metzen hörten einen Augenblick auf zu schwatzen.

»Ist jemand willens?«, fragte Graf de'Ath, doch natürlich gab es niemanden. Es war eine Sache, die Almanache zu lesen und Wahrsager aufzusuchen, und eine ganz andere, dem Teufel seine Seele zu verkaufen.

Der Graf wiederholte seine Frage und erzählte nochmals, wie sich das Leben eines Menschen verändern könne, wie er zum König werden und den Rest seines Lebens auf einer reichen Insel, die ihm gehörte, verbringen könne. Da stand plötzlich ein junger Mann von einer der Bänke im Parkett auf, trat vor und eilte die Stufen zur Bühne hoch. Er war groß, schlank und wie ein Dandy in Samt und Seide gekleidet. »Ich werde gehen!«, sagte er und zog seinen Federhut mit einer schwungvollen Geste vom Kopf.

Diejenigen im Saal, die die Nummer verfolgten, schraken entweder überrascht auf und rutschten auf ihren Sitzen weiter nach vorn, um besser sehen zu können, oder sie rangen bei dieser Unerschrockenheit nach Atem. Ich schnappte am lautesten nach Luft – oder vielmehr, ich stieß sogar einen kleinen Schrei aus –, denn als der junge Mann sich umdrehte, sah ich, dass es Tom war.

KAPITEL 7

Der Zauberer

»MEINE FRAU UND ICH (GINGEN) INS THEATER,
WO DER KÖNIG, MADAME CASTLEMAINE,
DER HERZOG UND DIE HERZOGIN SASSEN, UND
MEINE FRAU KONNTE SIE
ZU IHRER GROSSEN BEFRIEDIGUNG ALLE
BESONDERS GUT SEHEN.«

*W*ar es Tom? Genau in dem Moment, als der junge Mann sich umdrehte und über die Bühne schritt, um in das schwarze Kabinett zu steigen, zwängten sich ein Mann und eine Frau an uns vorbei, um zu ihren Plätzen zu gehen, und wir mussten aufstehen. Als wir uns wieder setzten, kam ein zweites Pärchen lachend vorbei und versuchte, ein Gespräch mit uns anzufangen.

»Ein verdammt gutes Stück!«, sagte der Mann. »Habe es gestern schon gesehen.«

»Habt Ihr es auch schon gesehen?«, wandte sich die Frau an mich.

Anstatt zu antworten, unterdrückte ich einen Schrei und schob die Frau beinahe aus dem Weg, um an ihrer Haube mit Bändern vorbeizukönnen. Sie gingen weiter, warfen mir einen merkwürdigen Blick zu und grummelten etwas über meine Unhöflichkeit. Inzwischen war es jedoch zu spät, weil der junge Mann bereits ins Kabinett gestiegen war und sein Gesicht im Dunkeln lag.

»Was ist los?«, fragte mich Anne flüsternd, als das Pärchen weitergegangen war. »War das auch eine Hure? Hast du deswegen nicht mit ihr gesprochen?«

Ich schüttelte den Kopf, war jedoch nicht in der Lage, ihr zu antworten, sondern starrte gespannt und atemlos auf die Bühne.

Graf de'Ath verbeugte sich. Von den Musikern neben der Bühne kam ein Tusch. »Sollte irgendjemand mein Kabinett untersuchen, wird er feststellen, dass es weder Öffnungen noch Geheimtüren oder geheime Gänge hat, wo ein Mann sich verstecken könnte!«

»Wo wird der Mann also hingehen?«, rief jemand laut.

»Er wird verschwinden …, in Luft und Schatten verwandelt werden …, zu einem Geist werden, der über weite Kontinente reist, bis er in dem Land ankommt, von dem ich gesprochen habe. Erst dort wird er wieder menschliche Gestalt annehmen!«

Bei diesen Worten entstand ein ziemlicher Aufruhr in den Reihen.

Graf de'Ath schwenkte seinen Umhang herum, so dass er sein Gesicht zur Hälfte verdeckte. »Ich bin ein Gelehrter der schwarzen Kunst und habe bei Dämonen studiert! Nur durch mich kann dieser Zauber vollführt werden!« Er machte eine Pause und fügte dann hinzu: »Und das alles für den Preis einer Seele!«

Den Zuschauern stockte bei dieser Bemerkung wieder der Atem, und zwei Galane stiegen auf die Bühne, um das Kabinett zu untersuchen. Nachdem sie verkündet hatten, es sei in keiner Weise außergewöhnlich, gab es einen weiteren Tusch und ein schwarzer Vorhang wurde vor die Vorderseite der Kiste gezogen, so dass der junge Mann im Inneren den Blicken völlig entzogen war. Der Graf vollführte verschiedene seltsame Bewegungen über der Kiste, Glöckchen klingelten und eine Rauchwolke erschien, dann wurde der Vorhang wieder aufgezogen.

Die Kiste war leer. Der Mann darin – wer immer er war – war verschwunden.

Einige der Zuschauer schrien vor Überraschung auf, dann untersuchten die zwei Galane das Kabinett von neuem. Sie machten einen überraschten Eindruck und verkündeten, dass der junge Mann verschwunden sei und sie nicht wüssten, wo er sich befinden könnte.

Graf de'Ath warf den Zuschauern verächtliche Blicke zu und verbeugte sich dann kurz, bevor er sein Kabinett auf die Seite kippte und es wieder hinausrollte, ohne ein weiteres Wort zu sagen. Manche Leute klatschten, die Lehrjungen gaben Pfiffe und Buhrufe von sich, doch die meisten, die der Vorführung zugesehen hatten, saßen ehrfurchtsvoll schweigend da.

Anne war ebenfalls völlig gebannt und starrte mit offenem Mund auf die Bühne. »Ein echter Zauberer. Ein Magier.«

»Es sieht ganz danach aus«, sagte ich verblüfft.

»Ich habe noch nie echte Magie gesehen …«

Langsam beruhigte sich mein Herz wieder und hörte auf, wie wild zu klopfen. Es konnte einfach nicht Tom gewesen sein – natürlich nicht. Der junge Mann auf der Bühne war größer und schlanker gewesen, und sein Kopf hatte eine andere Form.

Außerdem war Tom tot, sagte ich mir streng. Kein Zauber der Welt konnte ihn je wieder zum Leben erwecken. Aber dennoch…

Eine weitere Nummer wurde vorgeführt – ein Mann spielte auf der Bühne Dudelsack – und zehn Minuten später begann das Theaterstück, doch die Zuschauer ließen sich davon überhaupt nicht stören. Sie spazierten weiter hin und her, unterhielten sich miteinander und riefen den Schauspielern und Schauspielerinnen Komplimente zu oder lachten sie spöttisch aus. Ich konnte der Handlung überhaupt nicht folgen, weil ich immer noch wie gebannt war von der Vorführung von Graf de'Ath, doch das tat meiner Freude darüber, hier zu sein, keinen Abbruch. Als Nelly auf die Bühne trat, gebärdeten sich die Zuschauer wie verrückt, und tatsächlich spielte sie nur für sie, rief und winkte und unterbrach sich sogar einmal in ihrem Spiel, um sich an jemanden im Parkett zu wenden. Einmal war sie als Junge verkleidet (sie trug kurze Hosen und zeigte ihre Beine, die sehr schlank und wohlgestalt waren), und als sie so auftrat, standen alle auf und klatschten wie verrückt.

In der Pause gingen die Orangenverkäuferinnen herum und boten ihre Ware an. Eine verkaufte ebenfalls Zuckerwerk, und wir erstanden zwei Zitronenschnitze und freuten uns, als wir feststellten, dass sie schlechter waren als unsere und ziemlich weich und alt aussahen. Sie schmeckten auch nicht so saftig, und so kamen wir zu dem Schluss, dass sie unmöglich sechs

Tage hintereinander abwechselnd gezogen haben und in kochend heißes Zuckerwasser getaucht worden sein konnten, wie wir es taten, sondern auf eine schnellere, aber nicht so sorgfältige Art hergestellt worden waren.

Danach gingen Leute um, die Moritatenblätter und Flugschriften verkauften und Tafeln hochhielten, auf denen stand, welche Vorstellungen nächste Woche gegeben werden würden. In der Pause gab es noch mehr Darbietungen auf der Bühne, doch die von Graf de'Ath war nicht dabei.

Einen Augenblick nachdem das Theaterstück wieder begonnen hatte, ertönten ein Bellen und andere Geräusche aus der königlichen Loge über uns, und ein erwartungsvolles Raunen ging durch das ganze Theater. Das Bellen, so hieß es, kam von einer Meute Spaniel, was bedeutete, dass der König im Theater angekommen sein musste.

Als wir das hörten, waren Anne und ich sehr aufgeregt.

»Schon wieder der König!«, sagte Anne, weil wir oft davon sprachen, dass wir ihn im königlichen Boot gesehen hatten, wohingegen weder unsere Mutter noch unser Vater oder unsere Brüder ihn je gesehen hatten, und die Chancen gering waren, dass sie ihn je sehen würden. »Heute ist der schönste Tag meines Lebens!«, fügte sie hinzu und griff nach meiner Hand. »Heute Nacht kann ich vor lauter Aufregung bestimmt nicht schlafen.«

Jetzt guckte niemand mehr auf die Bühne, sondern

alle Blicke waren auf die königliche Loge gerichtet und sogar Nelly musste hinter Seiner Königlichen Hoheit zurückstehen. Es verbreitete sich schnell im Theater, wie der König gekleidet war, in welcher Verfassung er war und welche Geliebte ihn begleitete, und Anne und ich fielen beinahe von unseren Sitzen bei dem Versuch, unsere Köpfe zu verrenken, um das alles mit eigenen Augen zu sehen. Doch leider war die königliche Loge zum Bersten voll mit Höflingen und adligen Damen, die um Seine Königliche Hoheit herumschwirrten und ihn den Blicken entzogen, so dass wir nur gelegentlich einen Blick auf hoch aufgetürmtes lockiges Haar, farbenfrohe Kleidung und wedelnde Federfächer erhaschen konnten. Wir konnten nicht einmal erkennen, welcher seiner Geliebten der König heute den Vorzug gab, doch jemand vor uns sagte, es sei nicht Barbara Castlemaine, sondern ein Mädchen namens Mall Davis, das erst sechzehn Jahre alt war.

Als die Vorstellung zu Ende war und der König gegangen, wollte Anne unbedingt hinter die Bühne gehen und sich unter die Galane und Gecken mischen, die sich dort versammelten, um einen Blick auf Nelly zu erhaschen. Ich war einverstanden, aber nur, weil ich mir vorgenommen hatte, ein paar Worte mit Graf de'Ath zu wechseln.

Die Menschenmenge vor dem Bühnenausgang begann gerade, nach Nelly zu rufen, als der Graf herauskam und versuchte, sich hindurchzuzwängen. Er trug den weiten Umhang, den er auch auf der Bühne getra-

gen hatte, und einen schwarzen Samthut mit purpur-
rotem Futter.

»Graf de'Ath!«, rief ich ihm zu, und als er sich umdrehte, sagte ich schnell: »Könnt Ihr mir sagen, wo der
junge Mann in Eurem Kabinett hin ist?«

Er sah mich mit zusammengekniffenen Augen an.
»Habt Ihr denn nicht aufgepasst, was ich gesagt habe?
Er hat ein neues Leben angefangen, Mamsell. Ein bes-
seres Leben.«

»Kann ich denn auch dorthin gehen?«, platzte ich
heraus, und Anne starrte mich entgeistert an und
schnappte nach Luft.

»Nur, wenn Ihr in mein Kabinett steigt. Kommt
zum Bartholomäus-Jahrmarkt!«, sagte er und verschwand dann in der Menschenmenge.

»Warum hast du das gesagt?«, fragte Anne erstaunt.
»Was hast du vor?«

»Ich habe es nicht so gemeint«, sagte ich. »Ich habe
es nur so dahingesagt. Es war ein Scherz.«

Natürlich war es ein Scherz. Außerdem war es nicht
Tom gewesen, der auf der Bühne gestanden hatte und
durch einen Zauber an einen anderen Ort befördert
worden war. Welche Beschwörungen Graf de'Ath auch
beherrschen mochte, er war keinesfalls in der Lage,
einen Toten zu beschwören.

Doch das hinderte mich nicht daran, mir diese Möglichkeit auszumalen, und als ich an diesem Abend einschlief, kam ich nicht umhin mir vorzustellen, wie
furchtbar es wäre, wenn Tom die Pest irgendwie über-

lebt hatte, nur um vor meiner Nase im Kabinett von Graf de'Ath weggezaubert zu werden und seine Seele zu verlieren.

Ich sah Anne an und fing an zu lachen. »Wo hast du die denn her?«, fragte ich sie. Ich hatte sie zur Wasserstelle geschickt, um Wasser zu holen, und sie war eine halbe Ewigkeit weggeblieben. Als sie zurückkam, war ihr Gesicht über und über mit paillettenbesetzten Schönheitspflästerchen bedeckt: Ein Herz prangte auf ihrer Stirn, Kreuz und Pik auf den Wangen und ein Marienkäfer auf dem Kinn.

»Sehen sie gut aus?«, fragte Anne, nahm einen Spiegel in die Hand und bewunderte sich. »Sehe ich aus wie eine vornehme Dame?«

»Du siehst aus wie eine Metze!«, sagte ich.

»Aber alle tragen jetzt so etwas!«

»Aber nicht Ladenmädchen«, sagte ich kopfschüttelnd. »Wie viel hast du dafür bezahlt?«

»Ich habe einer Frau, die einen Stand in Cornhill hat, eine Duftkugel dafür gegeben.« Sie nahm Kitty hoch, die sie erst überrascht ansah und dann anfing, in ihrem Gesicht herumzutapsen. Bestimmt hielt sie die Schönheitspflästerchen für schwarze Käfer.

»Ich habe auch eines für dich mitgebracht«, sagte Anne zu mir. »Es ist eine Miniaturkutsche mit Pferden, und du kannst es auf der Stirn tragen. Die Frau hat gesagt, dass sie einer Gräfin genau das Gleiche verkauft hat.«

»Da sind mir meine Sommersprossen aber noch lieber!«, sagte ich.

Doch Anne hielt ihre Schönheitspflaster für sehr vornehm und trug sie den Rest des Tages – und den nächsten auch, bis ich schon dachte, ich müsste sie ihr im Schlaf abzupfen, um sie wieder loszuwerden. Sie trug sie, bis Mr. Newbery vorbeikam, um uns von den neuesten Skandalen zu berichten, und bei Annes Anblick entsetzt zurückwich.

»Habt Ihr die Blattern, Madam?«, fragte er.

»Nein, ganz bestimmt nicht«, antwortete Anne empört.

»Aber die Frauen, die Schönheitspflästerchen tragen, sind meist abgehärmte alte Bordellwirtinnen, die damit ihre wunden Stellen und Narben verdecken«, sagte er, und ausnahmsweise einmal freute ich mich über seine düstere Betrachtungsweise, denn noch bevor er seinen Satz beendet hatte, begann Anne auch schon, die Schönheitspflästerchen abzulösen.

Mr. Newbery teilte uns den neuesten Klatsch mit, nämlich dass Mall Davis, die neue Geliebte des Königs, eine Schauspielerin sei und dass Nelly Gwyn so eifersüchtig auf sie sei, dass sie ein Lied in Auftrag gegeben habe, das sich über die Beine ihrer Rivalin lustig machte, die allen Berichten zufolge fett waren und nicht halb so ansehnlich wie ihre eigenen. Wir lachten und sagten, dass wir auf Nellys Seite stünden. Gerade als Mr. Newbery wieder gehen wollte, fiel mir plötzlich etwas ein.

»Was ist der Bartholomäus-Jahrmarkt?«, fragte ich ihn. »Und wann findet er statt?«

»Der Bartholomäus-Jahrmarkt?«, sagte er und kratzte sich seinen kahlen Schädel unter der Perücke. »Das ist ein riesiger Jahrmarkt, der in Smithfield abgehalten wird, in der Nähe vom Sankt-Bartholomäus-Hospital. Er findet dort jedes Jahr in den letzten beiden Augustwochen statt.«

In der Zwischenzeit war Anne ins Hinterzimmer gegangen. Sie hatte Schwierigkeiten, einige der Schönheitspflästerchen abzulösen, weil sie so fest auf ihrer Haut saßen, und schrie ab und zu bei ihren Bemühungen auf.

»Und gibt es auf diesem Jahrmarkt auch Zauberkünstler?«, fragte ich ihn mit gesenkter Stimme, weil ich nicht wollte, dass Anne mich hörte.

»Es gibt dort alles!«, sagte Mr. Newbery. »Spiele und Spieler, Tanzvorführungen, dressierte Affen, Marionetten und Pferde, die Giguen tanzen! Die ganze Welt ist da!«

Ich war jetzt schon aufgeregt. »Dann müssen Anne und ich unbedingt hingehen!«

Mr. Newbery runzelte die Stirn. »Ihr werdet die Gurgel aufgeschlitzt bekommen und Eure Geldbörsen ebenso sicher loswerden, wie eine Sau den Bauch auf dem Boden schleifen lässt!«, sagte er. »Es wimmelt dort von fliegenden Händlern, Hausierern und Straßenräubern.«

Ich musste einfach lachen. »Es ist ein Wunder, dass

wir so lange in London überlebt haben«, sagte ich, »und danke für Eure Warnung, aber ich glaube, dass wir es darauf ankommen lassen müssen. Eure Beschreibung war zu aufregend, als dass wir auf den Jahrmarkt verzichten könnten.«

KAPITEL 8

Der Bartholomäus-Jahrmarkt

»BRACHTE MEINE FRAU MIT DER KUTSCHE
ZUM BARTHOLOMÄUS-JAHRMARKT
UND ZEIGTE IHR DIE AFFEN, DIE AUF SEILEN
TANZEN. ES GAB AUCH EIN PFERD,
DESSEN HUFE SO GEBOGEN WAREN WIE DIE
HÖRNER EINES SCHAFBOCKS, EINE GANS MIT VIER
BEINEN UND EINEN HAHN MIT DREIEN.
DANN (HABEN WIR UNS) EINIGE SPIELUHREN
UND MEHRERE BIBELGESCHICHTEN
ANGESEHEN, DOCH VOR ALLEM WURDE DAS MEER
GEZEIGT, MIT NEPTUN, VENUS,
DEN MEERJUNGFRAUEN UND DEN WOGENDEN
WELLEN.«

Sobald wir zum Smithfield Market kamen, von wo aus man auf den Jahrmarkt gelangt, bekam ich Angst, Anne aus den Augen zu verlieren. Als sie die fröhliche Szenerie auf dem Feld sah, begann sie vor Aufregung zu schreien und zu kreischen und mal hierhin, mal dorthin zu rennen, so dass ich mir wünschte, ein Gängelband für sie zu haben wie für ein kleines Kind. Wie Mr. Newbery gesagt hatte, war der Jahrmarkt ungeheuer groß und man hätte wahrscheinlich mehrere Tage gebraucht, um alles zu sehen.

Während die Metzger in Smithfield ihre Waren anpriesen, drehten sich vierzig Spanferkel an Spießen. In der Luft hing ein köstlicher Duft, das knisternde Brutzeln und der beißende Geruch des Rauchs. »Zartes Schweinefleisch! Hier gibt es zartes Schweine- und Ferkelfleisch!«, riefen sie. »Gute Würstchen, und schön gar!«

»Heiße Schafsfüße!«

»Blutiges Beefsteak!«

»Gute heiße Schweinsfüße!«

Ich wurde ganz hungrig und blieb stehen, um all die verlockenden Düfte zu schnuppern.

»Was braucht Ihr, meine Hübschen? Was braucht Ihr?«

Zwei Straßenhändler, deren Bauchläden voller Quasten und Troddeln, Bänder und Seidenblumen waren, blieben vor uns stehen.

»Oh! Was für schöne Farben!«, sagte Anne und fing gleich an, in einem verknoteten Knäuel Bänder zu stöbern.

»Schöne Bänder, Nadeldöschen, hübsche Blumen – was braucht Ihr?«

»Im Augenblick brauchen wir nichts«, sagte ich ihnen und versuchte, Anne fortzuziehen. »Wir sind gerade erst angekommen und müssen uns alles andere auch ansehen, bevor wir etwas kaufen.« Doch wir hatten den Fehler begangen, stehen zu bleiben und zu schauen, und waren jetzt von gut einem Dutzend oder noch mehr fliegenden Händlern umgeben.

»Schöne Birnen!«, rief einer.

»Süßer Pfefferkuchen!«

»Bänkellieder, schöne neue Bänkellieder!«

»Frischer Fisch …, fangfrischer Fisch!«

»Hübsche Singvögel!«

»Sehr schöne leuchtende Tinte! Tinte zu sieben Pence für ein Pint!«

»Reife Erdbeeren! Kirschen! Spargel!«

»Flohpulver!«

Eine ganze Menge von ihnen hatte sich um uns herum versammelt, und tatsächlich machte es den Eindruck, als ob jeder einzelne Hausierer und Straßenhändler Londons sich heute auf den Bartholomäus-Jahrmarkt begeben hatte und versuchte, seine Ware dort an den Mann zu bringen.

Ich griff nach Annes Hand. »Komm, lass uns schleunigst gehen!«, sagte ich zu ihr. Wir zwängten uns zwischen den Händlern hindurch und liefen über die Wiese zu den größeren Buden und gestreiften Zelten und Sonnendächern, die alle mit flatternden Fähnchen und Luftschlangen geschmückt waren.

Wir blieben vor einem Marionettentheater stehen, und ich redete ernst auf Anne ein. »Du darfst kein Interesse daran zeigen, etwas zu kaufen«, sagte ich, »sonst sind wir unser Geld los, bevor wir überhaupt etwas gesehen haben. Du musst die ganze Zeit bei mir bleiben und darfst nicht von meiner Seite weichen. Und du musst die ganze Zeit über die Hand auf deinem Geldbeutel lassen, weil uns alle von den Beutelschneidern hier erzählt haben und Mr. Newbery scheinbar der Meinung ist, dass wir schon froh sein können, wenn wir überhaupt noch den Kopf auf den Schultern haben, wenn wir nach Hause kommen.«

»Aber es ist alles so spannend!«, sagte sie atemlos. »So etwas habe ich noch nie in meinem Leben gesehen. Und so viele verschiedene Dinge auf einmal!«

Ich musste lächeln. »Ich auch nicht. Aber wir müssen trotzdem gut aufpassen«, fügte ich hinzu.

Arm in Arm spazierten wir verwundert zwischen den Zelten und Ständen umher, mal laut ausrufend und mal erstaunt nach Luft schnappend. Wir wussten nicht, worauf unsere Blicke als Nächstes fallen würden. Es gab sehr seltsame Dinge zu sehen, und das Publikum (von vornehmen Leuten bis hin zum Pöbel) war allein schon sehenswert. Die Damen trugen alle ihre besten Kleider, doch diese fielen sehr unterschiedlich aus: Manche trugen lange Lockenperücken, Masken vor dem Gesicht und große Federhüte, andere, die vom Land kamen, steckten in altmodischen Moirékleidern und hatten Strohhüte auf, manche trugen ein ordentliches Reitkleid und andere waren aufgeputzt wie für einen Ball im Palast.

Wir blieben vor einem Zelt stehen, auf dem die Zeichnung eines winzigen Menschen zu sehen war, der neben einer Osterglocke stand, und tranken ein Glas Wacholderwasser zur Erfrischung.

»Sollen wir uns diese Darbietung ansehen?«, fragte Anne. »Was steht da geschrieben?«

Ich las den gedruckten Hinweis vor: »*Im Zelt sitzt ein sechzehn Jahre altes Mädchen, das nicht größer ist als achtzehn Zoll. Es kann zauberhaft lesen, singen und pfeifen. Dieses wunderbare Geschöpf darf man sich für den Betrag von zwei Pence ansehen.*«

»Oh! Lass uns hineingehen!«, sagte Anne.

Ich schüttelte den Kopf. »Es muss ein Trick sein«, sagte ich und versuchte am Vorhang vorbeizuspähen, um zu sehen, was im Zelt war. »Es kann kein echter Mensch sein.«

»Ein quicklebendiges Mädchen!«, schrie der Schausteller, als er unser Interesse bemerkte. »Kommt nur herein und seht selbst. Und Damen dürfen dieses Geschöpf sogar nur im Hemd sehen.«

Doch Anne betrachtete inzwischen die Segeltuchbude nebenan, die so angemalt war, dass sie wie ein Pferdestall aussah, und aus der tatsächlich ein echtes Pferd hinter dem Vorhang an der Tür herausschaute. »Was hier wohl passiert?«, fragte sie mich.

»*Die Stute, die Geld zählt*«, las ich vor. »*Tretet ein und seht Euch dieses Tier an, das so schlau ist wie ein Mensch. Es kann zählen, erteilt kluge Ratschläge zu Geldanlagen und vermittelt Wissen.*«

»Das kann nicht sein!«, sagte Anne.

»Nein, das kann nicht sein«, sagte ich lachend.

»Kommt und seht Euch das Pferd an, das zählen kann!«, rief der Schausteller aus. »Weisheit, die wahrhaftig aus einem Pferdemaul kommt!«

Wir gingen weiter, und Anne rückte näher zu mir, als drei angekettete Verrückte an uns vorbeikamen, die etwas vor sich hin brabbelten und mit einem Bären tanzten, der Fußschellen trug. Ein Mann ging neben ihnen her und hielt ein Schild, auf dem stand, dass sie für heute aus dem Bethlehem-Hospital, einem Irrenhaus, herausgelassen worden waren und zur Verfügung standen, um die Häuser derer von Stand aufzusuchen und sie und ihre Gäste gegen ein geringes Entgelt zu unterhalten.

Auf der Suche nach der einzigen Darbietung, die ich wirklich sehen wollte, lenkte ich meine Blicke im Gehen überallhin – zwischen den Buden hindurch und über die Köpfe der Leute hinweg. Würde Graf de'Ath heute auf dem Bartholomäus-Jahrmarkt sein?

Ein Mann kam vorbei, auf dem insgesamt wohl sechs oder sieben Affen saßen, und ein anderer hatte sich einen großen Tierkopf aufgesetzt und trug ein Schild bei sich, auf dem stand, dass wir alle Reue für unsere Sünden empfinden sollten, weil dieses Jahr das des Tieres sei und das Jüngste Gericht unmittelbar bevorstehe.

Anne wies auf ein großes Zelt, vor dem ein Schild angebracht war. »B... beste Sch... Schau«, las sie stockend vor. Ihre Lese- und Schreibfähigkeiten wurden langsam besser, weil ich mit ihr geübt hatte.

»... *auf dem ganzen Jahrmarkt*«, fuhr ich fort. »*Eine wunderbare Seltsamkeit. Ein Mann mit einem Kopf und zwei Körpern, beide männlich, der erst kürzlich aus dem Land der Moguln hergeholt wurde. Bei ihm ist sein Bruder, der knielange Haare hat.*«

»Ich glaube nicht, dass ich das sehen möchte«, sagte Anne. »Lieber würde ich mir das kleine Geschöpf ansehen, das so groß ist wie eine Blume.«

»Und was hältst du hiervon?«, fragte ich und las ihr vor, was an der Bude nebenan angeschlagen stand: »*Ein Tableau, das kürzlich aus Russland gekommen ist, mit merkwürdig konservierten Menschen, die verzaubert sind und zwischen Leben und Tod schweben. Ihr dürft diese Leute so viel berühren und so lange untersuchen, wie Ihr wollt, ohne extra dafür bezahlen zu müssen.*«

Anne schnappte nach Luft. »Das möchte ich sehen!«

Die anderen Darbietungen waren ähnlich: tanzende Affen, ein Tamburin spielender Hund, ein Mann, der doppelt so groß war wie eine Lincolnshire-Färse, ein Hase, der einen Moriskentanz aufführte, eine Frau mit einem erstaunlichen Bart. Doch den Grafen und sein magisches Kabinett konnte ich nirgends entdecken.

Nach langem Hin und Her beschlossen wir, in die Bude mit dem russischen Tableau zu gehen, weil wir dort, wie Anne sagte, mehrere Leute für den Preis von einem zu sehen bekommen würden. Wir bezahlten, traten hinter den Vorhang und sahen eine seltsame Szene, die mich so erschreckte, dass ich schon kehrtmachen wollte, da ich glaubte, wir hätten den falschen Weg genommen und wären aus Versehen im Salon irgendeiner Dame gelandet.

In dem Zelt stand ein langes gepolstertes Sofa, auf dem drei Leute saßen: zwei Frauen und ein Mann. Alle drei waren in prachtvolle Samt- und Satinstoffe gekleidet und tranken Tee, wobei sie entweder die Tasse zum Mund führten oder im Begriff waren, sie vorsichtig wieder auf die Untertasse abzusetzen.

Das war als solches nicht seltsam. Höchst erstaunlich war hingegen, dass keiner von ihnen sich bewegte, sondern dass sie alle in der Bewegung eingefroren zu sein schienen. Keine der Teetassen kam mit einem Mund in Berührung oder gelangte je auf die für sie bestimmte Untertasse. Noch merkwürdiger – weil Menschen ja möglicherweise so tun konnten, als seien sie Standbilder, *Tiere* jedoch nicht – war die Tatsache, dass auf dem Schoß einer der Damen ein goldgelbes Hündchen mit heraushängender rosa Zunge und verschämt zur Seite geneigtem Kopf hockte.

»Oh!«, entfuhr es Anne, und nachdem wir reglos stehen geblieben waren und sie anstarrten, wie sie uns anstarrten, gingen wir im Kreis um die drei herum und untersuchten sie sorgfältig.

»Sie atmen nicht«, sagte Anne schüchtern. »Glaubst du, sie sind lebendig?«

Ich strich mit der Hand vor den Augen des Mannes entlang. »Sie zwinkern nicht einmal!«, sagte ich.

Wagemutig streckte ich die Hand aus und berührte die Hand einer der Frauen. Sie war glatt und kühl und fühlte sich beinahe wie Haut an, aber nicht ganz.

»Es *sieht aus* wie Haut«, sagte ich, nachdem ich mir ihre Wange von so nah angesehen hatte, wie ich mich nur traute. Ich war nämlich geneigt zu glauben, dass diese Leute verzaubert waren und jeden Moment von ihrem Zauber erlöst werden und uns bestrafen würden, weil wir sie so unverschämt untersuchten.

Wir schlichen auf Zehenspitzen um sie herum und begutachteten ihre Haare, Kleider und Schuhe. Alles an ihnen war wohl durchdacht und fein. Eine der Frauen trug Schuhe, die vorn offen waren, und ich konnte ihre rosa lackierten Zehennägel sehen. Die andere hatte eine aus Silberdraht geflochtene Tasche bei sich, in der ihr roter Lippenstift und ihr Döschen mit den Schönheitspflästerchen steckten.

»Ist eine von ihnen Dornröschen, das von einer bösen Fee verwunschen worden ist?«, fragte Anne ehrfürchtig.

Ich schüttelte den Kopf. »Ich weiß es nicht«, sagte ich nachdenklich, »aber es ist wirklich merkwürdig.«

In diesem Augenblick wurde der Vorhang beim Eingang zur Seite geschoben, und zwei gut angezogene Damen traten ein. Beim Anblick des Trios schraken sie genauso zusammen, wie wir es getan hatten.

Dann fing eine der beiden an zu lachen. »Du brauchst dich nicht zu fürchten – sie sind aus Wachs!«, sagte sie zu ihrer Gefährtin. »Ich habe ähnliche Figuren auf dem Jahrmarkt in Southwarke gesehen.«

»Aber sie sehen so echt aus!«, sagte ihre Freundin, von Ehrfurcht ergriffen.

»Vermutlich wurden sie von einem gelernten Steinmetz angefertigt, der Bildnisse auf Gräbern macht.«

Schaudernd sagte die andere: »Ich mag sie nicht. Sie sind mir zu lebensecht.«

»Zu todesecht, meinst du wohl!«, verbesserte sie die Erste, und sie gingen hinaus.

Enttäuscht sahen Anne und ich uns die Wachsfiguren wieder an. »Dann ist also keine von ihnen das verzauberte Dornröschen«, sagte sie.

Ich schüttelte den Kopf. »Ich habe den Verdacht, dass es auf diesem Jahrmarkt nur wenige Dinge gibt, die das sind, was sie zu sein scheinen.«

Da wir Hunger hatten, gingen wir zur Pie Corner und aßen warme Fleischpasteten und einen Teller Erbsen, gefolgt von Goldkuchen und Buttered Ale. Es schmeckte alles ganz hervorragend. Wir sahen einen niedlichen Hund einen Seemannstanz tanzen und dann Jacob Hall – der den Gerüchten zufolge der Liebhaber mehrerer Damen von hoher Geburt war –, der hoch oben in der Luft einen Drahtseilakt vollführte und mit seinen Possen alle zum Kreischen brachte. Wir hörten Musikkapellen und Dudelsackpfeifer, Kesselpaukenspieler und Fiedler und sahen noch vieles mehr, einschließlich des dressierten Affen, von dem Mr. Newbery gesprochen hatte.

Dann fand Anne eine Zigeunerin, die versprach, voraussagen zu können, wen man heiraten würde und wie viele Kinder man bekäme, wenn man ihre Hand mit einer Silbermünze bestrich. Wenn es sich als unwahr herausstellte, wollte sie einem das Geld zurückgeben.

»Oh! Lass mich bitte zu ihr gehen!«, flehte Anne mich an. »Sie sagt, dass sie Geister gehen und Feen tanzen sieht – und ich möchte so gern wissen, wen ich heirate.«

»Aber es kostet eine Silbermünze!«, sagte ich. »Und wie willst du dein Geld zurückbekommen, wenn sich nichts davon als wahr herausstellt?«

Anne sah entrüstet aus. »Sie ist eine Zigeunerkönigin von hohem Stand!«, sagte sie. »Sie hat das zweite Gesicht. Natürlich wird es sich als wahr herausstellen.«

Vielleicht hätte ich nachgegeben und wäre selbst auch hingegangen (weil ich natürlich genauso gern wissen wollte, ob ich heiraten würde), doch in diesem Moment erblickte ich am Rand des Feldes endlich das Schild, das *Graf de'Ath und sein magisches Kabinett* ankündigte.

Ich zog Anne von der Zigeunerin fort. »Vielleicht gehen wir später zu ihr«, sagte ich, »doch jetzt müssen wir erst einmal dort hingehen und den Mann aufsuchen, dessentwegen ich hergekommen bin.«

Der Graf stand auf ein paar Stufen in der Nähe seines großen Zelts, das oval war und so aussah, als würden hundert Leute hineinpassen. Er war hoch aufgeschossen, hatte einen dunklen Teint und sah eigenartig aus. Mit einem Stock wies er auf die Worte, die auf der Tafel vor ihm standen. »*Ein so mächtiger Zauber, dass Menschen in Luft verwandelt werden! Seht, wie jemand mein Kabinett betritt und über das Meer und die Lüfte hinwegbefördert wird, ohne jemals zurückzukehren!*«

»Du gehst nicht in dieses Kabinett!«, sagte Anne, die plötzlich von Furcht ergriffen wurde, und legte ihren Arm um meine Taille. »Ich lass dich nicht hineingehen!«

»Natürlich gehe ich nicht hinein«, sagte ich. »Ich will nur noch einmal sehen, wie der Zauber vollführt wird, und vielleicht mit dem Grafen sprechen.«

Auf der Tafel stand, dass zu jeder vollen Stunde eine Vorführung begann, und wir bezahlten unsere drei Pence und traten ein, bereit, die verbleibenden zwanzig Minuten bis zur nächsten Vorstellung zu warten. Allem Anschein nach hatte Graf de'Ath einige Anhänger, denn es saßen bereits eine ganze Menge Leute auf den Bänken im Zelt und warteten darauf, dass es drei Uhr wurde.

Wir saßen ziemlich weit hinten und begannen über all die Dinge zu reden, die wir heute gesehen hatten, und waren froh, dass wir uns in dem kühlen, dunklen Zelt ausruhen konnten, das mit schwarzem Tuch verkleidet war und nur von wenigen dünnen Kerzen erhellt wurde.

Noch mehr Menschen strömten ins Zelt, und um drei Uhr kam der Graf selbst und ging nach vorn auf die kleine Holzbühne, auf der sein Kabinett bereits stand. Er hielt dieselbe Ansprache wie beim letzten Mal – er fragte, ob es jemanden gebe, der seiner Frau oder seinen Gläubigern entwischen wolle, und sagte, dass er in sein Kabinett gehen könnte und von hier wegbefördert werden würde.

Wie beim letzten Mal rührte sich keiner der Zuschauer.

Er fragte wieder, ob jemand in die Kiste steigen wolle. »Und das nur für den Preis eurer Seele«, fügte er hinzu.

Man hörte ein paar Leute nach Luft schnappen, dann trat ein unheimliches Schweigen ein, als würden alle den Atem anhalten.

Ich ließ meinen Blick über die vorderen Reihen schweifen. Niemand. Niemand, der Tom ähnlich sah.

Doch dann stand ein Mann auf. »Ich werde gehen!«, rief er. »Ich werde dieses Land des Schreckens und der Pest verlassen, und wenn ich meine Seele dabei verliere, dann soll das eben so sein!«

Der Mann, der gesprochen hatte, war ein Mönch. Er trug ein derbes braunes Gewand, das mit einem Strick zusammengebunden war, und hatte eine weite Kapuze auf, so dass sein Gesicht kaum zu sehen war. Ein Raunen ging durch die Reihen, als die Leute diese Tracht sahen.

»Ein heiliger Mönch soll sein Seelenheil verlieren!«, sagte Anne schockiert, und in der Tat schien es furchtbar, dass ein Mann Gottes etwas mit Teufelswerk zu tun haben sollte.

Graf de'Ath nahm sich einen Moment Zeit, dem Mönch genau zu erläutern, wann er den Preis für die Reise, die er im Begriff war zu unternehmen, würde entrichten müssen, und ihm zu erklären, dass es bei diesem seltsamen Handel kein Zurück mehr gab. Die ganze Zeit über saß ich wie gebannt da, hörte mir alles genau an, was auf der Bühne vonstatten ging, riss die Augen weit auf und hielt die Luft an. Dieser Mann würde in der Hölle landen, so viel stand fest. Wie verzweifelt er sein musste!

Zwei der Zuschauer untersuchten das Kabinett sorgfältig, beklopften es vorn und hinten, und dann drehte sich der Mönch schweigend um und trat ein. In diesem Augenblick blieb mein Herz stehen. Es war Tom, der unter der Kapuze steckte, niemand anders.

Wie war das möglich?

Verblüfft und ungläubig wollte ich etwas rufen, doch es gelang mir nicht, weil ich mich so steif und versteinert fühlte wie die Wachsfiguren, die wir gesehen hatten. Der Vorhang wurde zugezogen, und der Mönch war außer Sichtweite. Graf de'Ath murmelte etwas in einer fremden Sprache und ließ ein wenig Zeit verstreichen, dann wurde der Vorhang wieder geöffnet und der Mönch war verschwunden.

Einige der Frauen im Zelt fingen an zu schreien, und ein Mann vor uns knurrte etwas.

»Oh! Wo ist er denn hin?«, flüsterte Anne.

Graf de'Ath verbeugte sich steif, dann war die Vorstellung zu Ende und die Zuschauer begannen sich langsam und mit verblüfften Mienen zum Ausgang zu schieben.

»Echte Zauberei!«, sagte Anne verwundert. »Das war doch echte Zauberei, oder?«

»Ich …, ich habe keine Ahnung.«

Sie stand auf und zupfte mich am Ärmel. »Wohin sollen wir jetzt gehen?«

Ich rührte mich nicht von der Stelle, weil ich verwirrt war und keinen klaren Gedanken fassen konnte. Zuerst sollte Tom tot sein, dann hatte ich ihn in einem Theater in ein magisches Kabinett steigen und sich in Luft auflösen sehen, und dann war er als Mönch wieder aufgetaucht – und nochmals verschwunden.

War er wirklich tot?

War er ein Mönch geworden?

Hatte er seine Seele dem Teufel verkauft?

»Komm schon!«, sagte Anne. »Wir müssen uns noch mehr ansehen, bevor es dunkel wird.«

Ich schüttelte den Kopf. »Es gibt da etwas, was ich tun muss. Ich glaube … Ich glaube, dass ich denjenigen kenne, der ins Kabinett gestiegen ist.«

»Was?«, rief Anne aus und warf mir einen merkwürdigen Blick zu. »Woher kennst du denn einen Mönch?«

»Vielleicht ist er kein Mönch.« Ich schüttelte den Kopf, wie um meine Gedanken zu ordnen. »Warte auf mich, Anne. Ich muss Graf de'Ath aufsuchen.«

Ich eilte hinaus, weil ich dachte, der Graf stünde vielleicht wieder bei seinem Stand vor dem Zelt und versuchte, Leute in die nächste Vorstellung zu locken, doch das tat er nicht, also ging ich hinter das Zelt. Dort befand sich ein etwa mannshohes viereckiges Segeltuchzelt mit einer Klapptür, die ebenfalls aus Segeltuch und mit einem Strick zugebunden war. Es war jemand darin, das stand fest, denn das Tuch bewegte sich so, als würde sich gerade jemand ausziehen.

»Graf de'Ath?«, erkundigte ich mich unsicher, und dann: »Tom?«

Die Bewegung hörte auf.

»Tom?«, fragte ich wieder. »Bist du das?« Und mit einem Mal war ich mir meiner Sache sicher, freute mich und fühlte mich leicht und glücklich. »Ich bin es, Hannah.«

Die Segeltuchbahn wurde zur Seite geschoben, und

dann stand Tom vor mir und starrte mich ungläubig an: Er war dünn, blass und kahl geschoren, doch er war weder tot, noch war er ein Mönch oder in Luft verwandelt und über die Meere hinwegbefördert.

»Tom!«, sagte ich und erstickte fast an einem Schluchzer. »Du bist es wirklich. Ich dachte, du bist tot!«

»Ich dachte, *du* bist tot!«

Dann gab ich jede Zurückhaltung auf, legte die Arme um seinen dünnen Körper und hielt ihn so fest, als wollte ich ihn nie wieder loslassen.

Neben uns schnappte jemand hörbar nach Luft. »Was ist denn hier los und wer ist das?«, hörte ich Anne fragen. Keiner von uns antwortete, und einen Moment später hörte ich sie in verändertem Tonfall und mit lebhafter Stimme ausrufen: »Oh, Hannah! Ist das dein Liebster?«

Ich hielt Tom immer noch umklammert, schaffte es jedoch zu nicken. »Ja, Anne. Ja, das ist Tom.«

KAPITEL 9

2. September

»MEINE MAGD WECKTE UNS GEGEN DREI UHR
MORGENS, UM UNS VON EINEM GROSSEN
FEUER ZU ERZÄHLEN, DAS MAN IN DER CITY
SEHEN KÖNNE. ALSO STAND ICH AUF
UND TRAT ZUM FENSTER ... DOCH ICH DACHTE,
ES SEI WEIT GENUG WEG, UND LEGTE
MICH WIEDER SCHLAFEN.«

Am nächsten Tag konnte ich es nicht erwarten, dass Tom kam – hauptsächlich, weil ich mir kaum vorstellen konnte, dass er wirklich kommen würde. Als ich aufgewacht war, hatte ich das Gefühl, mir das alles ausgedacht und nur geträumt zu haben, dass ich ihn auf dem Jahrmarkt getroffen hatte. Denn es war eine seltsame und unglaubliche Sache, jemanden zu treffen, den man für tot hielt – und diese Person im Kabinett eines Zauberers zu entdecken, war noch viel unglaublicher. Nur die Fragen, mit denen Anne mich in dem Moment bestürmte, als ich die Augen aufschlug, machten mir klar, dass es wirklich geschehen war.

»Was *glaubst* du denn, was er dort tat?«, fragte sie mich, während sie sich mit einem Arm im Bett aufstützte und mich anstarrte.

Genauso verwirrt wie sie schüttelte ich den Kopf.

»Ist er wirklich ein Mönch? Ist er denn nicht in dieses Kabinett gegangen? Wie konnte er einfach so aus dem Kabinett verschwinden und die ganze Zeit über draußen sein?«

»Ich habe keine Ahnung, ich habe keine Ahnung, ich habe keine Ahnung!«, sagte ich.

»Wird er heute wirklich kommen?«

»Er hat es versprochen …«

Als ich aufstand, stellte ich fest, dass wir kein Wasser mehr hatten, also warf ich mir ein Umhängetuch über mein Nachthemd und ging zum Brunnen am anderen Ende der Gasse, um welches zu holen. Auf dem Rückweg schwenkte ich die Eimer, die ich trug, hin und her und hätte am liebsten aus voller Brust gesungen. Tom lebte. Ich hatte ihn gefunden. Er war gar nicht an der Pest gestorben!

Am vergangenen Nachmittag hatte er sich sanft aus meiner Umarmung gelöst, als ich aufgehört hatte zu weinen, und mich gebeten, vor den Stand zu gehen, bevor Graf de'Ath kam und uns miteinander reden sah.

»Ich erkläre es dir alles morgen«, hatte er gesagt. »Wohnst du wieder im Geschäft?«

Ich nickte. »Versprichst du mir wirklich, zu mir zu kommen?«

»Ich verspreche es dir wirklich! Morgen ist Sonntag, und dann ist der Jahrmarkt geschlossen. Der Graf schuldet mir ein bisschen freie Zeit.«

»Aber wie bist du denn …«

»Das ist eine lange Geschichte«, hatte er gesagt, »aber das erzähle ich dir alles morgen. Und jetzt geh, sonst verliere ich noch meine Anstellung!«

Als ich das Wasser in unseren Laden trug, kam Mr. Newbery gerade aus seinem Geschäft heraus. Er hatte keine Perücke auf, und sein Gesicht war völlig vom Schlaf zerknittert, seine Augen wässrig.

Ich wünschte ihm einen guten Morgen, doch er machte nur ein böses Gesicht und hielt sich den Kopf, also dachte ich mir, dass er letzte Nacht wohl zu lange im Wirtshaus geblieben war. Trotzdem wollte ich unbedingt jemandem erzählen, was geschehen war. »Anne und ich waren gestern auf dem Bartholomäus-Jahrmarkt, Mr. Newbery, und es hat uns gut gefallen!«, sagte ich. »Und das Erstaunlichste und Schönste daran ist – erinnert Ihr Euch an meinen Freund Tom, der beim Apotheker Doktor da Silva am anderen Ende der Gasse gearbeitet hat?«

»Der Apotheker ist an der Pest gestorben«, sagte er unwirsch, »ebenso wie sein Bursche.«

»Nein, er ist *nicht* gestorben«, sagte ich, »ich habe ihn nämlich auf dem Jahrmarkt gefunden. Tom, meinen Liebsten!«

Mr. Newbery grunzte. »Ist er sehr verändert und verkrüppelt, weil er die Seuche gehabt hat?«

»So gut wie unverändert!«

»Dann hat sich die Krankheit nach innen gekehrt«, sagte er und nickte weise. »Höchstwahrscheinlich ist er verrückt geworden.«

Ich konnte nicht anders, ich musste einfach lachen. »Er ist kein bisschen verrückt! Er ist genauso bei Verstand wie Ihr und ich, und er kommt heute noch bei uns vorbei!«

Doch Mr. Newbery grunzte nur nochmals und schlurfte dann davon.

Als es allerdings zwei Uhr war und Tom immer noch nicht da, begann ich mir Sorgen zu machen. Anne und ich waren den ganzen Vormittag über damit beschäftigt gewesen, die Blüten, die wir vom Jahrmarkt mitgebracht hatten, zu kandieren und mehrere Veilchenkuchen zuzubereiten, doch zur Mittagsstunde war alles aufgeräumt und ich war bereit – ja, ich hatte mich inzwischen sogar mehrfach umgezogen. Mein grünes Taftkleid mochte ich zwar am liebsten, doch ich entsann mich, dass Tom es schon gesehen hatte, als wir letztes Jahr zusammen spazieren gegangen waren, also sah ich mich gezwungen, stattdessen mein Moirékleid anzuziehen. Dann fiel mir ein, dass mein blaues Leinenkleid vielleicht passender wäre (weil es wieder einmal ein heißer Tag war), doch als ich es anhatte, sah ich, dass mehrere Flecken darauf waren – weil Anne es getragen hatte –, und zog wieder mein grünes Taftkleid an.

Dies alles wurde von Anne sehr genau verfolgt, die mir erst interessiert zusah und mir dann Schönheitspflästerchen sowie Pomade für mein Haar anbot, was ich beides ablehnte. Allerdings tupfte ich mir ein wenig Orangenblütenwasser hinter die Ohren und rieb etwas Rosenöl auf meine Lippen. Ich fand, dass das nicht zu auffällig war.

»Bist du dir sicher, dass er kommt?«, fragte sie, als ich mich gerade für das grüne Kleid entschieden hatte, meine anderen Kleider wegräumte und mir schwor, mich nicht noch einmal umzuziehen. »Weil ich nämlich immer noch nicht verstehe, wie er überhaupt kommen kann, wenn er doch in Luft verwandelt wurde und über Land und Wasser gereist ist …«

»Das weiß ich auch nicht«, sagte ich und lief wieder einmal zu den Holzläden, um einen Blick auf die Straße zu werfen, »aber ich bin mir sicher, dass er kommen wird.«

Als der Ausrufer drei Uhr ausrief, war ich ganz verrückt vor Sorge, doch kurze Zeit später hörten wir es an die Tür klopfen. Anne stürzte hin und riss sie auf, ehe ich dazu kam, die Pose einzunehmen, die ich mir ausgedacht hatte. Ich hatte nämlich eigentlich vorgehabt, sittsam mit Kitty auf dem Schoß dazusitzen, doch stattdessen sah Tom mich nun auf dem Boden knien und an meinem Schuh herumzupfen.

Er stand auf der Schwelle, zog den Hut und verbeugte sich, und ich stand hastig auf und machte einen Knicks – was mir angesichts dessen, dass ich am vergangenen Nachmittag eine Weile schluchzend in seinen Armen gelegen hatte, förmlich und seltsam vorkam. Doch dann trat Tom zu mir, küsste mich auf die Wange, nahm meine Hand, und wir setzten uns gemeinsam auf die Holzbank im Geschäft. Anne setzte sich ein Stück von uns entfernt auf einen Stuhl und beobachtete uns interessiert.

»Es tut mir Leid, dass es später geworden ist, als ich beabsichtigt hatte«, sagte er. »Ich musste noch eine Besorgung am Fluss machen und geriet in eine Menschenmenge. Dort herrscht große Aufregung.«

»Was ist denn da los?«, fragte Anne.

»Ich habe gehört, dass in der Nähe der Kais ein Feuer ausgebrochen sein soll.«

»Dort brennt es ständig«, sagte ich. »Letzte Woche hat es einen Brand bei den Talgkerzenmachern gegeben, der alles richtiggehend verwüstet hat.«

»Ist es ein großes Feuer?«, fragte Anne.

»Ich konnte es nicht sehen. Aber jemand hat den Lord Mayor mitten in der Nacht geweckt, um ihn davon zu unterrichten und darum zu bitten, dass die Handspritze geschickt wird. Doch er hat nur einen Blick auf das Feuer geworfen und gesagt, dass es nichts sei und dass eine Frau es auspinkeln könnte.«

Anne und ich lachten, doch Tom machte mit einem Mal einen verlegenen Eindruck. »Ihr müsst verzeihen, dass ich ein solches Wort gebrauche«, sagte er, »doch ich habe seit vielen Monaten keine weibliche Gesellschaft mehr gehabt und meine Manieren fast völlig vergessen.«

»Dann bist du also wirklich ein Mönch?«, fragte Anne.

»Nein, das bin ich nicht.«

»Oh! Bist du also auch nicht ins Kabinett gestiegen und in Luft verwandelt worden?«

Lachend schüttelte er den Kopf. »Nein. Aber du darfst keiner Menschenseele verraten, dass es nicht wahr ist.«

»Ist *gar nichts* davon wahr?«, fragten Anne und ich gleichzeitig.

»Nichts davon.«

»Keine Magie?«, wollte Anne enttäuscht wissen.

»Ich werde euch alles wahrheitsgemäß erzählen«, sagte er. »Aber erzählt mir zuerst, wo eure Schwester Sarah ist und was geschah, nachdem ihr London verlassen habt.«

Ich holte tief Luft. »Das ist eine lange Geschichte«, sagte ich und versuchte, ihm mit so wenig Worten wie möglich (weil ich weitaus gespannter auf *seine* Geschichte war) von unserer Zeit im Pesthaus in Dorchester zu erzählen, von unserem Aufenthalt in Highclear House und der anschließenden Reise nach Hause, wo Sarah Giles Copperly traf, und dann darüber, wie Anne und ich nach London gekommen waren. »Und als ich schließlich in London war, erzählte man mir, dass ihr beide, du und Doktor da Silva, an der Pest gestorben seid!«, beendete ich meinen Bericht.

Tom blieb eine Weile still, dann sagte er: »Doktor da Silva ist tot, Gott hab ihn selig. Ich wurde ebenfalls für tot gehalten – ich bin sogar von einem Totenkarren mitgenommen worden.«

»Du bist von einem Totenkarren mitgenommen worden?«, fragte ich atemlos, während Anne mit offenem Mund dasaß.

Er nickte. »Der Doktor war bereits tot und ich war bewusstlos, als sie uns zusammen mit ein paar anderen zur Grube brachten«, sagte er. »Doch zu meinem Glück waren die Beulen unter meinen Armen aufgegangen und das Gift floss langsam aus mir heraus, so dass ich, als der Totenkarren bei der Grube ankam, wieder so weit bei Bewusstsein war, dass ich um eine Taubenpastete bitten konnte.«

Ich versuchte in sein Gelächter einzustimmen, doch es gelang mir nicht, weil sein Tod kein Thema war, über das ich lachen konnte.

»Ich lag ein paar Wochen im Bett, bevor ich wieder aufstehen konnte, und dann musste ich eine neue Stelle finden. Als ich auf einem Gesindemarkt hörte, dass Graf de'Ath auf der Suche nach einem großen, dünnen Burschen sei, bewarb ich mich um die Stelle.« Er streckte die Arme aus. »Findest du, dass ich mich verändert habe?«

Ich nickte. »Ja, du bist viel dünner geworden, und größer – und du hast sozusagen keine Haare mehr.«

»Das liegt daran, dass sie mir alle ausgefallen sind, als ich die Pest hatte, und jetzt erst wieder anfangen zu wachsen. Aber der Seuche verdanke ich meine jetzige Anstellung, denn in das geheime Versteck hinten im Kabinett passt nur jemand, der sehr dünn ist, und davon hängt meine Anstellung ab.«

»Du gehst also bloß hinten ins Kabinett?«, fragte Anne enttäuscht. »Es hat also gar nichts mit Magie zu tun?«

Er schüttelte den Kopf. »So Leid es mir tut.«

Sie stieß einen tiefen Seufzer aus. »Es ist keine schöne Vorstellung, dass es auf der Welt keine Magie geben soll.«

»Magie gibt es sehr wohl.« Toms Blick begegnete

meinem, und wir sahen uns tief in die Augen. »Für die, die Glück haben. Aber sie hat nichts mit magischen Kabinetten zu tun oder mit Mönchen, die sich in Luft auflösen.«

Tom und ich machten einen Spaziergang. Ich wäre zu gern wieder nach Chelsea gegangen, wo wir letztes Jahr einen Tag verbracht hatten, um Wildblumen zu pflücken, doch die Sonne stand bereits tief und für die Wanderung dorthin hätten wir mehrere Stunden gebraucht. Stattdessen gingen wir also bei Ludgate aus der Stadt hinaus und nahmen eine Straße, die am Gefängnis vorbeiführte, über den Fleet River (der furchtbar stank, weil der Sommer sehr heiß gewesen war) und von dort aus zur Straße The Strand, wo wir die neu gebauten Häuser des Adels bewunderten. Wir kamen in der Nähe des Königspalasts in Whitehall vorbei, und ich erzählte Tom davon, wie wir am Maifeiertag nach London zurückgekommen waren und Seine Königliche Hoheit auf seinem Boot gesehen hatten.

»Der Maifeiertag«, sagte Tom mit hochgezogenen Brauen, denn er versuchte sich zu erinnern, wo er sich zu diesem Zeitpunkt aufgehalten hatte. »Da war ich in Bath und trat in den Lustgärten auf.«

»Mit Graf de'Ath?«, fragte ich.

Er nickte. »Ich bin seit sechs Monaten bei ihm.«

»Ist er ein guter Mann?«

Tom zog die Stirn kraus. »Eine Katze bleibt immer eine Katze.«

Ich sah ihn an, weil ich nicht verstand, was er damit meinte.

»Er ist so gut, wie ein Quacksalber nur sein kann, aber er ist weder ein echter Graf noch auch nur Franzose.« Er lächelte. »Wenn er nicht gerade Graf de'Ath ist, gibt er sich als Doktor Marvell aus. Sagt dir ›Doktor Marvells hervorragende Arznei‹ etwas?«

»Nein!«, sagte ich lachend.

»Mit Doktor Marvells Arznei kann man alles heilen, von einem Leistenbruch über Masern und Zahnschmerzen bis hin zu Blasensteinen«, erklärte Tom feierlich. »Drei Flaschen von diesem Lecksaft genügen für ein ganzes Leben und heilen alle Krankheiten, die einem von der Geburt bis zum Tod begegnen könnten.«

»Kann man damit die Pest heilen?«, fragte ich.

»Aber selbstverständlich!«, sagte er entschieden, aber mit einem kleinen Lächeln in den Augen.

»Und woraus besteht dieser wunderbare Lecksaft?«

»Aus Nesselwasser.«

»Was ist das denn?«

»Ein paar Nesselblätter, die in Wasser getaucht werden. Vielleicht mit einem Blatt krauser Petersilie dazu, weil das Glück bringen soll.«

Ich fing an zu lachen. »Das heilt doch niemanden!«

»Aber es bringt auch niemanden um. Und wenn du glaubst, dass es dir gut bekommt, dann tut es das vielleicht auch. Und den Quacksalbern bekommt es mit Sicherheit gut«, fuhr er fort. »Es gab Hunderte von verschiedenen Mitteln gegen die Pest, und etliche Scharlatane sind dadurch reich geworden.«

»Warum bist du denn nicht bei einem anderen Apotheker in die Lehre gegangen?«, fragte ich ihn nach einer Weile.

»Weil es niemanden gab, der mein Lehrgeld bezahlt hätte«, sagte er. »Als ich mich von der Pest erholt hatte, bin ich nach Hause gereist, doch ich konnte meinen Vater und meine Stiefmutter nicht finden. Es hieß, sie seien weggezogen.« Das sagte er mit stockender Stimme, und ich drückte seine Hand und sah ihn zärtlich an, weil ich spürte, dass er sich sehr einsam gefühlt hatte. »Aber ich verstehe mich gut mit Graf de'Ath«, fuhr er in munterem Ton fort, »und die Arbeit macht Spaß, weil ich als Schauspieler auftrete, wenn ich nicht gerade Flaschen mit Nesselwasser herstelle.«

»Du bist also immer derjenige, der sich meldet und ins Kabinett geht?«

Er nickte. »Manchmal bin ich ein Mönch, manchmal ein Bauer und manchmal sogar eine Frau! Ich habe sechs verschiedene Verkleidungen und schreibe mir auf, wer ich an welchem Ort war, weil ich niemals zwei Mal am selben Ort in derselben Gestalt auftreten darf.«

»Im Theater habe ich dich als Dandy verkleidet gesehen«, sagte ich. »Zumindest schien es mir so, als sei es jemand, der dir sehr ähnlich sieht. Das ist zum Teil der Grund, warum wir zum Bartholomäus-Jahrmarkt gekommen sind – damit ich die Vorstellung noch einmal sehen kann.«

Er lächelte. »Ich bin sehr froh, dass du das getan hast.«

Ich zögerte einen Augenblick, dann sagte ich bedächtig: »Was ich nicht verstehe, ist, warum du nicht zu unserem Geschäft gekommen bist, um mich zu sehen, wenn du die ganze Zeit am Leben warst.«

»Das habe ich doch getan!«, sagte er. »Ich bin gekommen, als wir Anfang des Jahres – im Februar oder im März – in London waren.«

»Oh! Da waren wir noch in Dorchester.«

»Ich bin in aller Eile vorbeigekommen, noch in meiner Verkleidung als Mönch, und habe mit deinem Nachbarn gesprochen – dem kauzigen Besitzer vom Laden *Das Pergament und die Feder*.«

»Mr. Newbery.«

»Und er hat mir gesagt, dass du bestimmt tot seist und er das Geschäft übernehmen wolle, wenn niemand darauf Anspruch erhebe.«

Ich schnappte nach Luft. »Was für ein Dreckskerl!« Dann sah ich Tom mit einem Augenaufschlag an. »Bist du denn nur ein einziges Mal gekommen, um dich nach mir zu erkundigen?«, fragte ich ihn, denn ein Mal schien mir nicht ausreichend.

Er legte den Kopf schief und lächelte. »Hast du dich denn nur ein einziges Mal nach *mir* erkundigt?«, entgegnete er.

»Ganz und gar nicht!«, sagte ich empört. »Als ich sah, dass Doktor da Silvas Laden geschlossen war, habe ich mich mit einer alten Frau unterhalten, die mir sagte, dass ihr ins Pesthaus gekommen und dort gestorben seid. Dann habe ich mich beim Pesthaus erkundigt und schwarz auf weiß gesehen, dass der Totenkarren dich mitgenommen hat!« Ich machte eine Pause. »Aber wie oft hast du dich denn nun nach mir erkundigt?«

»Ich habe sechs Wochen lang mit dem Tod gerungen – also wirst du bitte entschuldigen, dass ich mich zu *dieser* Zeit nicht nach dir erkundigt habe«, sagte er mit einem kleinen Lachen, »und dann bin ich kreuz und quer durch England gezogen, nach Bath und Warminster und Canterbury und zu den ganzen Jahrmärkten und in alle Theater, die in Graf de'Aths Reichweite lagen. Aber ich bin beide Male, als wir in London waren, gekommen, um mich nach dir zu erkundigen – das erste Mal, als ich mit deinem Nachbarn sprach, und dann noch einmal, am späten Nachmittag, nachdem wir im King's Theatre aufgetreten waren. Ich habe wie wild an die Tür gehämmert, doch obwohl es ein Werktag war, hatte das Geschäft nicht geöffnet und die Läden waren geschlossen, also habe ich befürchtet, dass du wirklich gestorben bist.«

»Es war nicht geöffnet und die Läden waren geschlossen, weil ich im Theater war und dich dort gesehen habe!«, sagte ich. »Nelly Gwyn war in unserem Kaufladen gewesen und hatte uns genau für diesen Tag Karten gegeben.«

Wir warfen uns zum Spaß wütende Blicke zu, mussten darüber lachen und waren darum – ich jedenfalls –

den Tränen nahe, weil wir einander beinahe verloren hätten und es nur ausgesprochen merkwürdigen Umständen zu verdanken war, dass wir einander wiedergefunden hatten.

Ich wischte mir die Tränen aus den Augen, und Tom zog für mich ein Taschentuch aus Leinen aus seiner Tasche. Gleichzeitig kam ein leuchtend grünes Seidenband zum Vorschein.

»Ist das für mich?«, stieß ich vollkommen überrascht hervor. »Wie schön es ist!«

»Nein, es gehört zu meiner neuen Verkleidung…«, setzte Tom an, doch er unterbrach sich und hob mein Kinn, weil ich vor Enttäuschung den Kopf gesenkt hatte. »Nein, natürlich nicht! Das war nur ein Scherz, ich habe es gestern auf dem Jahrmarkt gekauft. Und dazu gehört noch ein silbernes Medaillon, das an das Band gehängt wird und das du um den Hals tragen sollst.«

»Oh!«, sagte ich und konnte kein weiteres Wort hervorbringen oder ihm auch nur danken, weil ich vor lauter Glück und Freude ganz sprachlos war.

»Und ich freue mich, dass du heute dieses grüne Kleid trägst, weil ich es passend dazu gekauft habe«, fügte er hinzu.

Wir waren inzwischen schon ein gutes Stück außerhalb der Stadt auf einem hübschen Feldweg, der an der Themse entlangführte. Es wuchsen ganze Büschel blaue, lila und weiße Herbstastern dort, und es gab eine umgefallene Eiche, die über und über mit allerlei Farnen und Efeu bewachsen war. Wir setzten uns darauf, und Tom fädelte das Medaillon sorgfältig auf das Band auf und knotete es mir um den Hals. Als er damit fertig war, glitten seine Hände von meinem Hals zu meinem Gesicht. Einer seiner Finger strich meinen Wangenknochen entlang, ein anderer bebte auf meinen Lippen. Ich hob das Gesicht zu ihm empor, sah die Sonne, die den Himmel purpurn färbte und den Fluss in Licht badete, und dann, als ich die Augen schloss, berührte sein Mund sanft den meinen.

Mein erster Kuss war genau so, wie ich es mir erträumt hatte, und es folgten noch zwei weitere Küsse, ehe Tom tief Luft holte und sagte, dass wir uns langsam auf den Rückweg machen sollten.

»Ja, das habe ich auch gerade gedacht«, sagte ich, obwohl ich das überhaupt nicht gedacht hatte, doch er sollte mich nicht für ein Mädchen halten, das sich von jedem an die Wäsche gehen lässt.

»Bald sind wir wieder zusammen«, sagte er.

Ich tastete nach dem Medaillon um meinen Hals und ließ meine Finger über die kühle, glatte Form gleiten. Ich konnte es kaum erwarten, nach Hause zu kommen und es mir genau anzusehen, weil ich noch nicht dazu gekommen war, bevor er es mir umgebunden hatte. »Meinst du?«, fragte ich ihn. »Du wirst doch wieder die ganze Zeit mit Graf de'Ath herumfahren.«

»Ja, aber wir sind noch die ganze Woche auf dem Bartholomäus-Jahrmarkt, und danach gehen wir auf die andere Seite des Flusses nach Southwarke und dann nach Richmond – und von diesen drei Orten aus kann ich kommen und dich besuchen.«

»Und dann?« Ich wollte ihn nicht gehen lassen.

»Dann …«, sagte er mit einem Achselzucken, »dann weiß ich nicht. Wenn die kalte Jahreszeit kommt, wird der Graf vielleicht irgendwo überwintern wollen. Und London ist der richtige Ort zum Geldverdienen, also könnte es sein, dass wir uns hier niederlassen.«

Ich seufzte. »Aber was ist, wenn …«

Er unterbrach mich mit einem weiteren Kuss, diesmal einem kleinen, zarten, auf die Nase. »Warte es ab, wir werden sehen. Wenn ich weggehe, gebe ich dir einen Kuss für jede einzelne Sommersprosse, und das wird reichen, bis wir uns wiedersehen.«

Und damit musste ich mich begnügen.

Als wir ein Stück flussabwärts gegangen waren, kamen wir zu einem Landesteg, wo mehrere Bootsleute sich ihren Unterhalt damit verdienten, dass sie Leute ans andere Ufer übersetzten, und Tom handelte mit einem jungen Schiffer aus, dass er uns für sechs Pence nach Swan Steps bei der London Bridge bringen würde. Anfangs war die Bootsfahrt angenehm, denn obwohl die Sonne beinahe untergegangen war, war es noch warm, eine leichte Brise wehte und zarter Nebel stieg von beiden Ufern auf. Auf dem Wasser war einiges los, wir begegneten Familien, die zusammen mit ihren Bediensteten einen Ausflug machten, Pärchen, die sich tief in die Augen blickten, und Gruppen zechender junger Männer.

Erst als wir in die letzte große Biegung der Themse vor der Stadt hineinfuhren, fiel uns auf, dass nicht alles so war, wie es sein sollte. Die Boote, die uns begegneten, waren nicht zum Vergnügen unterwegs; einige wurden zielgerichtet und mit voller Kraft hinüber ans andere Ufer oder stromaufwärts und möglichst weit weg gerudert. Und dann, als wir um die Flussschleife herumbogen, hörten wir merkwürdige Geräusche: den Klang von Kirchenglocken, die Alarm läuteten, begleitet von einem seltsamen Prasseln, das gelegentlich von einem scharfen Knallen unterbrochen wurde, das sich anhörte wie ein Feuerwerk.

Unser Schiffer winkte einem Kollegen zu und fragte ihn, was los sei, weil er selbst eben erst mit seiner abendlichen Arbeit begonnen hatte.

»Feuer!«, rief der andere zurück. »Einige der Kais brennen, und in Swan Steps wirst du nicht anlegen können.«

Unser Schiffer fluchte und sagte, dass er uns aussteigen lassen würde, sobald es ginge, und der Rest der Fahrt ihm gestohlen bleiben konnte. Dann begann er zum Ufer zu rudern.

Als wir um die Biegung herumgefahren waren, konnten wir das Feuer mit eigenen Augen sehen. Am ganzen Ufer entlang stiegen überall Rauchsäulen auf, von Black Swan Alley, wohin ich manchmal zum Zuckerholen ging, an Cold Harbour vorbei bis zur London Bridge. Alles in allem erstreckten sich die Flammen über eine Viertelmeile oder noch mehr.

»Das muss der Brand sein, von dem ich dir vorhin erzählt habe!«, sagte Tom, während wir beide entsetzt auf das Ufer starrten. »Ich hatte keine Ahnung, dass es so schlimm ist.«

Ich rang nach Atem. »Es ist mehr Feuer, als ich je auf einmal gesehen habe!«

Der Bootsmann begann fürchterlich zu fluchen. Er ruderte so kräftig und schnell er konnte, vorwärts und rückwärts, aber er fand dennoch keinen Landesteg, der nicht voller Leute gewesen wäre. Alle wollten auf den Fluss und weg von der Stadt.

»Euer Fahrpreis verdoppelt sich«, rief er Tom zu, dem nichts anderes übrig blieb, als sich damit einverstanden zu erklären.

Wir ruderten flussauf- und flussabwärts, ohne eine Anlegestelle zu finden, und einmal drohte der Bootsmann, uns auf der Seite von Southwarke an Land zu lassen, wenn wir nicht bereit seien, einen Schilling und sechs Pence Fahrpreis zu bezahlen. Wieder erklärte sich Tom bereit zu zahlen, weil die Nordseite der Brücke nun lichterloh brannte und ihre glatt polierten Balken spritzend und zischend ins Wasser fielen, und wir wussten, dass es uns nicht gelingen würde, über die Brücke in die City zu kommen, wenn er uns auf der gegenüberliegenden Seite absetzte.

Als wir in die Nähe des Ufers gelangten, konnten wir erkennen, dass Leute den Fish Hill und die Thames Street entlangliefen, manche mit Möbeln auf Karren, andere mit Stühlen auf dem Kopf. Zwei oder drei Kirchen brannten ebenfalls, und vor dem Hintergrund der lodernden Flammen nahmen sich ihre schwarzen Türme wie Hexenhüte aus. Selbst das alte Zunfthaus der Färber brannte, und orangefarbene und goldene Flammen reckten sich zum Himmel. Noch während ich voller Verwunderung und Furcht auf dieses gewaltige Gebäude starrte, stürzte das Dach mit einem schrecklichen Knall ein. Eine große Staubwolke stieg auf und goldene Funken stoben zum Himmel. Ein Windstoß trieb sie über die Straße zu einer Häuserzeile in der Black Raven Alley, und ich sah erst einige strohgedeckte Dächer Feuer fangen und dann einen Mann mit lichterloh brennenden Kleidern die Straße hinunterrennen.

Ich klammerte mich an Toms Arm, weil ich mich sehr fürchtete und es eine Weile so aussah, als würden wir überhaupt nicht an Land gehen können. Wenige Augenblicke später legte der Bootsmann jedoch ein kleines Stück flussabwärts in Broken Wharf Steps an. Er wurde auf der Stelle von zwei Männern angeheuert, die unbedingt wegwollten und denen es ganz egal war, wohin. Ich hörte den Bootsmann die Summe von fünf Schilling fordern, und ich bezweifle nicht, dass er sie bekam, weil diese Männer vollkommen kopflos waren vor Angst.

Oben auf den Stufen drehte ich mich um und warf einen Blick auf den Fluss. Inzwischen hing dichter Rauch wie Nebel über dem Wasser, und Funken und

Stücke brennendes Holz und Tuch fielen zischend hinein. Im Licht des aufgehenden Mondes konnte man eine Familie am Ufer stehen sehen, die ihre ganzen Habseligkeiten in einen Kahn warf: einen Tisch, Stühle, Kleidung, Bettzeug – alles wurde verfrachtet. Dann leuchtete der Mond purpurn auf und verschwand einen Augenblick später hinter wabernden Rauchwolken, und die Familie versank im Dunkeln, so dass ich nicht sehen konnte, was aus ihr wurde.

Tom und ich standen sprachlos da, ohne recht zu wissen, wohin wir uns wenden und was wir als Nächstes tun sollten.

In den Straßen, die am Fluss entlangführten, herrschten Chaos, Lärm und Gestank – dort lebten die Leimsieder, und ein beißender Geruch von verbrannten Knochen und Tierfett hing in der Luft. Rechts von uns toste das Feuer, Fensterscheiben zerbarsten, Fässer explodierten und Steine brachen aus den Häusern heraus und fielen herab. Auf der Straße drängten sich Leute, die gebückt gingen unter der Last, die sie auf dem Rücken trugen, oder die Handwagen mit Möbeln darauf vor sich herschoben. Ich sah einen Mann, der stöhnend auf einer Pritsche lag und fortgetragen wurde, und eine ganze Familie mit zehn oder mehr Kindern, die auf einem Bauernkarren saßen und vor Angst schrien.

Eine alte Frau stand vor der Tür ihres Hauses und sah sich verwundert um, und Tom blieb stehen und sprach sie an.

»Was passiert denn jetzt hier?«, fragte er. »Bekämpft jemand das Feuer?«

Sie nickte. »Ja, jetzt ist alles in Ordnung«, sagte sie, »denn der König soll kommen und sich zusammen mit seinem Bruder, dem Herzog, darum kümmern. Sie haben den Befehl erteilt, alle Häuser im Weg des Feuers abzureißen.« Sie legte den Kopf schief. »Wenn man gut aufpasst, kann man es krachen hören.«

»Wo ist das Feuer denn ausgebrochen?«

»Ein Stück weiter im Osten – in der Pudding Lane. In einer Backstube, soweit ich weiß.«

»Ihr müsst aber hier weggehen!«, sagte ich zu ihr. »Der Wind bläst das Feuer genau in diese Richtung.«

»Ich gehe erst, wenn ich den König gesehen und mit ihm gesprochen habe«, sagte die alte Frau.

»Aber vielleicht hat er keine Zeit, mit jedem Einzelnen zu sprechen! Ihr müsst Euer Schicksal in die eigene Hand nehmen und jetzt aufbrechen!«

»Es ist viel Zeit«, sagte sie in aller Ruhe. »Der Brand dort drüben ist mehr als zwei Straßenzüge entfernt.«

Es schien aussichtslos, weiter mit ihr zu diskutieren, und Tom zog mich an der Hand. »Komm, Hannah«, sagte er. »Wir müssen zurückgehen und sehen, ob euer Geschäft – und Anne – in Gefahr sind.«

Wir waren ziemlich erschöpft, als wir beim Geschäft ankamen, weil die Straßen in der Nähe des Flusses von Menschen, die versuchten zu fliehen, von Karren und von Pferden wimmelten, und manchmal hatten wir uns unseren Weg mit Hilfe unserer Hände und Ellbogen bahnen müssen. Doch seltsamerweise ließen der Rauch, das Getöse und der verbrannte Geruch ebenso wie das Läuten der Feuerglocken nach, sobald wir uns vom Fluss entfernten, und als wir den Crown and King Place erreichten und ich das geliebte Schild unseres Geschäfts sah, war alles ruhig und friedlich. Hier war kein Anzeichen davon zu sehen, dass an einer anderen Stelle in der Stadt ein Brand wütete.

Ich hämmerte an die Tür. »Geht es dir gut?«, fragte ich Anne, als sie aufmachte. »Ist alles in Ordnung?«

»Natürlich«, sagte sie, und ich sah, dass ihr Blick auf das silberne Medaillon fiel. Ihre Augen weiteten sich. »Warum fragst du?«

»Wegen des Brandes!«

»Was für ein Brand?«

Tom lachte. »Siehst du. Es ist alles in Ordnung. Wahrscheinlich wird er heute Nacht gelöscht und morgen fangen sie an, wieder aufzubauen. So ist es jedes Mal.«

Er nahm meine Hand und küsste sie. Mir wäre es lieber gewesen, wenn er mich auf den Mund geküsst hätte, doch weil Anne uns zusah, musste ich mich damit zufrieden geben. »Wann sehe ich dich wieder?«, fragte ich.

»Ich komme morgen vorbei. Abends, wenn der Jahrmarkt zu hat«, sagte er, warf mir noch eine Kusshand zu und eilte davon.

Ich sah ihm nach. »Er schläft in Smithfield, wo der

Jahrmarkt stattfindet«, sagte ich ein wenig ängstlich zu Anne. »Es ist ein ganzes Stück außerhalb der Stadtmauern, also sollte er in Sicherheit sein.«

»Warum auch nicht?«

»Hörst du mir denn nicht zu? Wegen des Feuers, das wütet!«

»Aber du hast doch gehört, was er gesagt hat …« Ihr Blick fiel wieder auf das Medaillon, und ihre Augen leuchteten interessiert auf. »Und jetzt lass mich einen Blick auf dieses silberne Herz werfen und erzähle mir genau, was er gesagt hat, als er es dir geschenkt hat, und ob er dir eine Liebeserklärung gemacht hat. Ich kann es kaum mehr erwarten, alles zu erfahren.«

KAPITEL 10

Der Brand breitet sich aus

»TRAF DEN LORD MAYOR IN CANNING
STREET, UND ER SCHRIE WIE EINE FRAU,
DIE OHNMÄCHTIG WIRD:
›MEIN GOTT, WAS SOLL ICH BLOSS TUN?
ICH BIN VERLOREN!
DIE LEUTE GEHORCHEN MIR NICHT MEHR.
ICH HABE SELBST HÄUSER
ABGERISSEN, DOCH DER BRAND HOLT UNS
SCHNELLER EIN,
ALS WIR ARBEITEN KÖNNEN!‹«

*A*m nächsten Morgen kam kein Ausrufer, um uns zu wecken, doch ich war sowieso schon im Morgengrauen wach und fragte mich, ob das Feuer noch immer brannte, und wenn ja, in welche Richtung es sich ausbreitete. Wir waren in der westlichen Ecke der Stadt und ein gutes Stück von der Stelle entfernt, wo ich die Flammen zuletzt gesehen hatte, doch in der Zwischenzeit konnte alles Mögliche passiert sein. Allerdings schien Tom sicher zu sein, dass das Feuer über Nacht gelöscht wurde, und ich betete, dass er Recht hatte.

Tom. Ich befühlte das Medaillon um meinen Hals, hielt es zwischen den Fingern fest und wünschte mir sehnlichst, dass ihm nichts zustieß. Der Gedanke an ihn erinnerte mich an die gestrigen Küsse, und ich wollte gerade im Kopf alle Einzelheiten noch einmal durchgehen, als ein Klopfen – oder vielmehr ein Hämmern – an der Tür des Geschäfts ertönte. Ich ließ Anne schlafen, stieg aus dem Bett, legte ein Umhängetuch um und machte die Tür auf.

Vor mir stand Mr. Newbery in seinem Sonntagsstaat. Er trug Kniehosen mit Bändern am Bund, Wams und Umhang sowie einen Federhut über seiner Lockenperücke.

»Feuer!«, rief er ernst aus. »Ein ganz und gar schreckliches Feuer.«

Ich nickte. »Ich habe es gestern Abend am Flussufer gesehen.«

»Und es breitet sich nach Norden hin aus und wird uns alle verschlingen!«

»Es wird sich bestimmt nicht bis hierher ausbreiten«, sagte ich, »weil doch jetzt der König selbst daran arbeitet, es zu bekämpfen.«

»Der König!«, schnaubte Mr. Newbery verächtlich. »Dieses Feuer ist doch die Bestrafung ebendieses Mannes. Es ist doch schon lange gesagt worden, dass dieses Jahr die Zahl des Tieres trägt und in seinem Verlauf ein Urteil über ihn und seinen verderbten Hof gesprochen werden wird!«

Hierauf erwiderte ich nichts, sondern setzte meine Zuhörermiene auf, weil ich wusste, dass eine längere Ansprache folgen würde.

»Die Höflinge haben ihre Lebensweise nicht geändert, also hat Gott die Pestilenz gesandt. Und jetzt schickt er ein Feuer zur Läuterung ihrer Seele.« Er pausierte und fügte dann beiläufig hinzu: »Und zu allem Überfluss hat der König wieder einen königlichen Bastard anerkannt. Jetzt sind es also sechs, von denen wir etwas wissen!«

Ich trat auf die Pflastersteine, um zum Himmel aufzuschauen, der weiß und milchig war vor lauter Rauch und in dem eine blasse, kraftlose Sonne hing. Ein starker Brandgeruch hing in der Luft, und während ich dort stand, wirbelten Papierfetzen mit verkohlten Ecken um uns herum zu Boden.

»Es brennt also immer noch!«, sagte ich.

»Genau das habe ich doch gerade gesagt«, entgegnete Mr. Newbery. »Und ich muss alle unsere Nachbarn warnen, die noch nicht davon gehört haben.«

Zwei junge Burschen stürmten eilig an uns vorbei, und Mr. Newbery rief sie und fragte, wohin sie gingen.

»Nach Whitehall«, rief einer von ihnen zurück, »das Volk schickt eine Abordnung zu Seiner Königlichen Hoheit, damit zu drastischeren Maßnahmen gegriffen wird, um die Menschen vor dem Feuer zu retten.«

»Was kann der denn schon ausrichten?«, fragte Mr. Newbery verächtlich. »Er ist doch auch nur ein Mensch.«

»Er ist der von Gott eingesetzte König«, antworteten sie, als ob das an sich schon ausreiche, um uns alle zu retten.

»Und dabei ist es seine Schuld, dass es uns überhaupt erst getroffen hat«, murmelte Mr. Newbery in seinen Bart hinein, als sie weitergingen.

Anne war inzwischen aufgestanden und trat zu mir auf die Schwelle. »Oh! Wie groß ist der Brand denn mittlerweile geworden?«, fragte sie mit einem Blick zum Himmel. »Sollen wir den Laden heute Morgen überhaupt aufmachen?«

Ich zuckte die Achseln und sah Mr. Newbery hilfesuchend an. »Ich weiß es nicht.«

»Die Leute brauchen zwar trotzdem etwas zu essen«, sagte er, »aber ich bin mir nicht sicher, ob sie Zuckerwerk essen werden. Ich selbst habe vor, zum Markt zu gehen und guten Käse und ein paar Pasteten zu kaufen, für den Fall, dass die Lebensmittelmärkte morgen geschlossen haben. Und dann werde ich meine Kleidung und meine Habseligkeiten einpacken, für den Fall, dass ich fliehen muss.«

»Dann müssen wir das auch tun«, sagte ich zu Anne.

Mr. Newbery befeuchtete seinen Finger und hielt ihn einen Augenblick hoch. »Der Wind dreht sich«, verkündete er. »Jetzt bläst er in Richtung Westen.«

»Und wo ist der Westen?«, fragte Anne.

»Da, wo wir sind, mein liebes Kind!«

»Aber das Feuer ist doch noch weit weg, oder?«, fragte ich. »Es könnte noch aufgehalten werden – oder der Wind könnte wieder drehen.«

»Oder auch nicht«, sagte Mr. Newbery.

Hilflos blickte ich ihn an. »Können die Leute denn gar nichts mehr tun?«, fragte ich.

Er zuckte die Achseln. »Wenn wir Handspritzen hätten, könnten wir Wasser auf unsere Häuser spritzen – aber es gibt keine mehr, an die man herankäme.«

»Und was noch?«

»Die Schreibwaren- und Buchhändler um die Kathedrale von St. Paul herum haben ihre Waren hinunter in die Gruft getragen«, sagte er, »und die Leute begraben ihre Schätze in ihrem Garten, damit der Brand, wenn er denn kommt, darüber hinwegfegt – ich kam tatsächlich gestern noch an einem Mann vorbei, der einen ganzen Parmesan in seinem Garten vergrub. Ich selbst habe vor, einige meiner wertvollsten Dinge zur Kirche von St. Dominic zu bringen. Dort sind sie in Sicherheit.«

»Ich habe aber auch Kirchen brennen sehen…« Ich stockte, weil mir gerade eingefallen war, dass, wenn dieses Feuer eine Strafe Gottes war, er doch gewiss nicht seine eigenen Kirchen abbrennen würde.

Mr. Newbery zuckte die Achseln. »Zumindest sind die Habseligkeiten dort, dicht aufeinander gepackt, sicherer als in unseren wenig solide gebauten Geschäften«, sagte er und zog dann weiter, um unsere anderen Nachbarn zu warnen und ihnen einen Schreck einzujagen. Und vielleicht war das sogar eine gute Sache.

Anne und ich vernachlässigten unsere Morgenwäsche, weil so viel Rauch und Ruß in der Luft lagen, dass das reine Zeitverschwendung schien, und zogen uns stattdessen schnell an. Ich schlüpfte in mein altes graues Leinenkleid, das ich am wenigsten mochte, und legte die anderen Kleider sorgfältig zusammen, für den Fall, dass ich sie auf die Flucht mitnehmen musste. Dann sorgte ich dafür, dass Anne dasselbe tat. Danach nahmen wir eine Schachtel, in die wir die paar Dinge packten, an denen wir hingen: unsere Küchenausstattung, Warmhalteplatten, Kochtöpfe und Schüsseln. Wir nahmen auch unsere Reisetaschen aus Segeltuch und packten Kämme, Fächer, unsere Lieblingshandschuhe, Parfums und allerlei andere Dinge hinein, die dem weiblichen Geschlecht wichtig sind.

Daraufhin machten wir uns auf den Weg zum Einkaufen (weil ich bereits erkannt hatte, dass nur sehr wenige Bäcker und Milchmädchen unterwegs waren), und ich beschloss, dass wir in Richtung Green Place gehen sollten, der im Norden der Stadt gerade noch innerhalb der Stadtmauern lag, anstatt in Richtung Fluss zu gehen, wo das Feuer am schlimmsten zu wüten schien.

Obwohl erst etwa eine Stunde vergangen war, seit ich mich vor der Haustür mit Mr. Newbery unterhalten hatte, war es draußen bereits stickiger geworden. Die Leute schienen nicht so recht zu wissen, was sie tun oder wohin sie sich wenden sollten, und einige unserer Nachbarn standen in Grüppchen zusammen und sahen in Richtung Stadtkern, von wo man manchmal Feuerglocken hören konnte und das dumpfe Knallen von Schießpulver, wenn Häuser in die Luft gesprengt wurden.

Wir waren erst ein paar Schritte gegangen, als mir plötzlich Kitty einfiel, die zusammengerollt in einer Schublade lag und schlief.

»Sollen wir sie in einen Korb tun und mitnehmen?«, fragte Anne besorgt.

Ich schüttelte den Kopf. »Aber wir müssen zurückgehen und die Hintertür schließen, damit sie im Haus bleibt«, sagte ich. »Wir dürfen sie nicht herumstreunen lassen.«

In dem Augenblick, als Anne zurückging, um das zu tun, kam eine Bande von zehn oder zwölf Männern

mit Stäben und Stöcken in der Hand die Gasse entlang-
gestürmt.

»Der Franzose!«, hörte ich einen von ihnen schrei-
en. »Wo steckt er?«

Ich wollte schon wieder ins Haus schlüpfen, weil
ich fand, dass sie bedrohlich aussahen, doch einer von
ihnen hatte mich bereits erblickt.

»Der Franzose – wo wohnt er?«, schrie mich ein
kräftiger Mann an.

Ich zuckte zusammen und sagte: »Ich kenne keinen
Franzosen, der hier in der Nähe wohnt.«

»Hier gibt es keine Fremden!«, rief Mr. Gilbert,
einer unserer Nachbarn, über die Straße.

»Doch! Maurice heißt er«, sagte der kräftige Mann.

Ich schüttelte wieder den Kopf und versuchte, ins
Haus zu gehen, doch er packte mich beim Arm. »Wenn
Ihr ihn seht, richtet ihm aus, dass er dafür gehängt wer-
den wird.«

»Wir werden ihn selbst hängen!«, schrie ein anderer. »Und strecken und vierteilen werden wir ihn
auch.«

»Was hat er denn getan?«, fragte Mr. Gilbert.

»Unsere Stadt in Brand gesetzt. Einen Brandsatz
durch ein Fenster geworfen und London angezündet!«

Bei diesen Worten war ein böses Raunen zu verneh-
men. »An der Ecke ist eine Pension. Über dem Laden
des Putzmachers«, sagte einer unserer Nachbarn.
»Dort könnte er sein.«

Die Männer eilten weiter, und Mr. Gilbert rief mir

zu, dass man sich zurzeit als Fremder in London nicht sicher fühlen könne, weil jetzt ganze Banden nach Franzosen oder Holländern suchten und sie beschuldigten, den Brand gestiftet zu haben. »Sie haben sogar eine italienische Waschfrau gepackt und sie in den Fluss geworfen!«, fügte er hinzu.

Anne und mir fiel es nicht schwer, unsere Besorgungen zu erledigen, weil Green Place der Ort war, wo die Hausfrauen vom Land ihr Obst und Gemüse aus dem Garten und ihre Backwaren verkauften, und an diesem Tag waren viel mehr da als sonst, weil viele von ihnen sich heute nicht getraut hatten, weiter in die Stadt hineinzugehen.

Wir blieben eine Weile dort stehen und unterhielten uns mit einigen Leuten, die bereits durch den Brand obdachlos geworden waren, und mit anderen, deren Häuser und Geschäfte nun im Weg des Feuers lagen und die darum die Innenstadt verließen. Wie zur Zeit der Pest waren es die Armen, die am meisten litten, weil sie weder Kutschen noch Karren hatten, um ihre Habseligkeiten und sich selbst zu befördern, und nicht wussten, wohin sie sich wenden sollten. Also machten sie sich auf den Weg nach Moore Fields oder London Fields, um dort zu bleiben, bis das Feuer unter Kontrolle war.

Wir gesellten uns zu einer Frau, die erzählte, wie sie den König selbst mitten im Flammenmeer gesehen hatte. »Er hatte nichts mehr an außer seinem Unterhemd aus Leinen!«, sagte sie. »Und er reichte Eimer voll Wasser vom Fluss weiter, um zu versuchen, den Brand beim Zunfthaus der Apotheker zu löschen. Neben ihm stand sein Bruder, der Herzog, und beide waren Sinnbilder von Kraft und Männlichkeit.«

»Woher wusstet Ihr denn, dass es der König war?«, fragte einer. »Trug er eine Krone?«

»Oder stand eine Schauspielerin neben ihm, die ihm Salbe auf seine Brandwunden schmierte?«

Gelächter brach aus, doch dann antwortete die Frau würdevoll, dass sie es wisse, weil neben ihm ein edler Rappe stand, der von einem Stallburschen gehalten wurde und dessen Sattel und Satteldecke die königliche Standarte trugen.

Eine andere Hausfrau erzählte von den Plünderungen in den Zunfthäusern. »Im Zunfthaus der Färber kamen die Plünderer, sobald das Feuer ausgekühlt war, stocherten in der Asche herum und nahmen so viel geschmolzenes Gold und Silber mit, wie sie nur tragen konnten.«

»Davon habe ich auch gehört!«, stimmte eine andere zu. »Und jemand hat gesehen, wie ein Dutzend Rüstungen auf einem Kahn flussabwärts fuhren!«

»Ich habe gesehen, wie ein Mann umgebracht wurde, weil er einen Karren mieten wollte!«, sagte jemand. »Zwei Männer boten dem Besitzer des Karrens erst fünf Schilling, dann zehn Schilling, dann wurde es ein Pfund, und der Betrag wurde immer höher und höher, bis er zehn Pfund erreicht hatte!«

Es ertönte verwundertes Murmeln.

»Der Besitzer übergab einem der Männer den Karren und nahm das Geld entgegen«, fuhr der Geschichtenerzähler fort, »woraufhin der zweite Mann ein Messer zückte, den anderen niederstach und sich mit dem Karren davonmachte!«

»Aber mit ehrlicher Arbeit kann man Unmengen Geld verdienen!«, versuchte ein Mann hinter einem Stand allen klar zu machen. »Unten in der Innenstadt haben sie Brandwachen aufgestellt. Sie bekommen Bier und Brot, und der König gibt jedem fleißigen Mann, der hilft, den Brand zu bekämpfen, einen Schilling pro Tag.«

»Das tut er nur, weil er sich zu Tode fürchtet, dass das Feuer bis zu seinem Palast vordringt«, sagte einer verdrossen.

»So weit wird es schon nicht kommen«, sagte der Besitzer des Stands, »immerhin werden jetzt ganze Häuserzeilen, die im Weg des Feuers stehen, mit Haken niedergerissen.«

»Aber die Flammen haben einen eigenen Willen und springen über die Lücken, die sie hinterlassen!«, sagte eine Frau. »Ich habe mit eigenen Augen gesehen, wie das Feuer zwei Häuserzeilen unberührt ließ und an einer ganz anderen Stelle weiterbrannte.«

»Ich habe von einer Familie gehört, die in der Dunkelheit die Orientierung verloren hat«, gab ein anderer zum Besten. »Auf dem Kai hatte ein Kohlehaufen Feuer gefangen, überallhin dichten, wabernden schwarzen Rauch verbreitet, und die guten Leute sind schließlich und endlich mit ihrem Karren in einer Sackgasse gelandet und von einer Truppe Plünderer überfallen worden. Ihre ganzen Möbel und Habseligkeiten wurden ihnen gestohlen!«

Anne und ich hörten uns diese Geschichten mit angehaltenem Atem an und wussten nicht recht, ob wir sie glauben sollten oder ob sie übertrieben waren. Anne war der Meinung, dass sie nicht alle wahr sein konnten, doch ich hatte London in den Fängen der Pest erlebt und viele weitaus schrecklichere Dinge gesehen und neigte dazu, sie allesamt zu glauben.

Nachdem wir unsere Einkäufe getätigt hatten, wurden wir beide von einer seltsamen Unruhe erfasst und wollten nicht zum Geschäft zurückkehren, weil wir nicht glaubten, dass wir an einem solchen Tag einfach unseren gewohnten Beschäftigungen nachgehen und anfangen konnten, Zuckerwerk zu machen. Stattdessen beschlossen wir, in den Norden der Stadt zu gehen und zu schauen, ob wir auf die Stadtmauern steigen und von dort aus den Brand beobachten konnten, um herauszufinden, ob er sich weiter ausbreitete oder nicht und ob er sich uns näherte.

Inzwischen hing direkt über uns eine Rauchwolke, und in der Ferne war Donnergrollen zu hören. Es schien mit jedem Schritt, den wir machten, heißer zu werden, und als die Sonne höher aufstieg, war sie nicht mehr blass, sondern wurde zu einer merkwürdigen, abstoßenden roten Scheibe.

Anne warf einen Blick in den Himmel. »Ich mag diese Sonne nicht«, sagte sie mit einem Schaudern. »Sie sieht so unnatürlich aus. Als ob heute der Tag des Jüngsten Gerichts wäre: das Ende der Welt, von dem die Geistlichen in der Kirche manchmal sprechen.«

Ich versuchte sie zu beruhigen, doch es gelang mir nicht, auch nur annähernd überzeugend zu wirken, weil mir bereits derselbe Gedanke gekommen war. Ich versuchte mich daran zu erinnern, was ich in dem Almanach in Highclear House über 1666, das Jahr des Tieres, gelesen hatte, in dem ein läuterndes Feuer herabgesandt werden würde. Und ich dachte daran, dass ich gesagt hatte, in London sei es so sicher wie in Mutters Schoß ...

Als wir zu den Stadtmauern gelangten, stellte sich heraus, dass die Straßen überall in der Umgebung und besonders dort, wo ein Stadttor war, voller Karren, Kutschen, Sänften, Pferde und Fußgänger waren, die alle schwer beladen waren und sich drängelten, um aus der Stadt herauszukommen, und darum kamen wir nicht richtig voran. Die Lage wurde dadurch verschlimmert, dass eine Menge Leute darum kämpften, in die Stadt *hineinzugelangen*: diejenigen, die ihre Familie suchten oder die Dinge aus ihrem Haus retten wollten, sowie Träger, Arbeiter und Fuhrleute – alle, die über ein Transportmittel auf Rädern verfügten, weil man, wie wir vernommen hatten, mit der Beförderung von Möbeln und sonstigen Habseligkeiten eine

Menge Geld verdienen konnte. In Cripplegate stießen wir, ebenso wie in Moorgate und in Bishopsgate, auf Verwirrung und Unfälle und kämpfende Menschenmengen, und schließlich beschlossen wir (nachdem wir gesehen hatten, wie das Pferd einer Familie gefallen war und sich auf einem Haufen zurückgelassener Möbel die Beine gebrochen hatte und wie eine arme Katze mit brennendem Fell um ihr Leben rannte), zur Kirche von All Hallows zu gehen und dort auf den Turm zu steigen.

Wir standen dort zwar hin und wieder inmitten von Rauchschwaden, doch wir hatten einen Blick, der recht erschreckend war, weil man das Ausmaß des Feuers erkennen konnte. Das ganze nördliche Ufer der Themse stand in Flammen, von jenseits der Brücke zu unserer Linken bis zu dem klobigen Baynards-Schloss zu unserer Rechten. Als ich das sah, füllten sich meine Augen sofort mit Tränen, weil es völlig erschütternd war, diese Kais, Gassen, Durchgänge, Gebäude und Räume in Flammen oder in Staub und Asche zu sehen und sich vorzustellen, wie mitgenommen und ängstlich diejenigen sein mussten, die dort lebten und arbeiteten.

Anne und ich klammerten uns vollkommen sprachlos vor Schreck aneinander. Ich hatte nun mit eigenen Augen gesehen, was vorging, und konnte nicht in Worte fassen, wie furchtbar ich es fand, weil es wirklich so zu sein schien, wie Anne gesagt hatte: Das Ende der Welt stand bevor.

Als ich es schließlich schaffte, meine Augen vom Ufer der Themse abzuwenden, wurde mir klar, dass wir deshalb einen so guten Blick hatten, weil nur noch sehr wenige große Gebäude zwischen uns und dem Fluss standen. Kirchen waren abgebrannt oder brannten immer noch lichterloh, viele Zunfthäuser waren dem Erdboden gleichgemacht, ebenso wie die stattlichen Gebäude in Cornhill. Ich stieß einen Schrei aus – nicht einmal der prachtvolle Royal Exchange hatte standgehalten, denn ich wusste ganz genau, wo er gestanden hatte, und nun war er nicht mehr dort! Sofort fiel mir mein Ausflug zum Royal Exchange mit Abby ein: das weitläufige Marmorgebäude mit den stattlichen Säulen und vornehmen Standbildern, mit den fröhlich gekleideten Galanen und den piekfeinen Damen, die in den Höfen miteinander schwatzten, mit den makellosen kleinen Geschäften mit ihrer feinen, seltenen Ware – alles war weg!

Doch das alles war nichts gegen das, was Anne mir dann zeigte. Sie schrie plötzlich auf, verbarg ihr Gesicht an meiner Schulter und wies mit zitternder Hand auf das Zentrum des Feuers. Dort konnte man eine Feuerwand sehen, die gut fünfzig Fuß hoch war und in Windeseile an einer Häuserzeile von Ost nach West entlangraste. Während ich von Entsetzen gepackt zusah, steckte das Feuer auf seinem Weg ein Gebäude nach dem anderen in Brand. Es sah aus, als brächen unzählige kleine Vulkane aus, und gewaltige Funkenregen sprühten in alle Richtungen. Häuser aus Stein hielten länger stand, andere gingen – je nachdem, was darin gelagert wurde – sofort in Flammen auf und brannten lichterloh. Das rasende Feuer wurde erst aufgehalten, als es auf die graue Masse des Bridewell-Gefängnisses am Ufer des Fleet Rivers stieß, dagegen anstürmte und nicht weiterkonnte.

Solchermaßen gehindert, machte das Feuer kehrt und begann sich wie ein wildes Tier in einem Schrecken erregenden Wirbel von Hitze und Lärm langsam, aber sicher in Richtung Norden zu bewegen. Als es auf das stieß, was wohl einmal ein Lagerhaus für Gewürze und Pfeffer gewesen war, ertönte plötzlich ein leiser Knall, und dann schimmerte die Luft blau, lila und grün, was so schön und merkwürdig zugleich war, dass Anne und ich beide vor Verwunderung aufschrien. Einen Augenblick später erfüllte ein unglaublich würziger Duft die Luft, der für eine kurze Zeit den vorherrschenden Gestank nach Schwefel und Schießpulver überdeckte.

Alles in allem standen wir wohl zwei Stunden dort, bis das Feuer nur noch eine Meile von uns entfernt war und das Ufer der Themse beinahe so weit, wie unsere Augen sehen konnten, in Flammen stand. Wir blieben so lange dort, weil der Anblick, der sich uns bot, zwar schrecklich, aber in seinem Schrecken auch wieder fesselnd war. Das Feuer hatte etwas von einer öffentlichen Hinrichtung: Spektakel und Drama, zu gleichen Teilen mit Entsetzen und Furcht vermischt. Vielleicht wären wir noch länger geblieben, wenn ich nicht unbedingt hätte wissen wollen, wie es um unser Geschäft stand. Als der Wind leicht drehte und anfing, dichten, schwefligen Rauch in unsere Richtung zu blasen, der uns zum Husten brachte, beschlossen wir hinabzusteigen. In dem Moment, als wir uns auf den Weg machten, schlugen zwei Tauben mit brennenden Flügeln dumpf neben uns auf.

»Sie sind zu lange auf ihren Stangen sitzen geblieben und haben Feuer gefangen«, bemerkte ein Mann, hob sie an den verbrannten Füßen auf und erklärte, er würde sie zum Abendessen mit nach Hause nehmen.

KAPITEL II

Das rasende Tier

»UM VIER UHR MORGENS SCHICKTE
MIR LADY BATTEN EINEN WAGEN, UM MEIN GELD,
MEIN GESCHIRR UND MEINE WERTVOLLEN
DINGE WEGZUBRINGEN ... ICH SELBST FUHR IM
NACHTHEMD IM WAGEN MIT;
UND MEIN GOTT, DIE STRASSEN SO VOLLER
MENSCHEN ZU SEHEN, DIE ALLE LAUFEN
UND REITEN UND SICH UM DIE WAGEN STREITEN,
UM DINGE FORTZUSCHAFFEN ...«

Neben mir auf der Holzbank bewegte sich Anne und wimmerte leise im Schlaf. In der kleinen Kirche war es heiß und zudem überfüllt, und mir war es überhaupt nicht gelungen zu schlafen, weil ich die ganze Zeit grübelte, was aus uns werden sollte.

Letzte Nacht hatte der Wind kräftig in unsere Richtung geblasen, und es hatte eine heftige Debatte mit unseren Nachbarn am Crown and King Place gegeben, ob das Feuer, das noch ein Stück weit entfernt war, uns erreichen würde oder nicht. Mr. Newbery sagte ja und erklärte, er würde sich nach Moore Fields in Sicherheit bringen und sich dort unter einen Busch legen, doch andere sagten, sie seien sicher, dass der Brand lange vorher aufgehalten würde und dass außerdem eine große Feuerschneise die Lombard Street entlang geschaffen worden sei und das Feuer nicht weiterkäme als bis dorthin.

Die meisten unserer Nachbarn waren unschlüssig, ließen sich erst vom einen, dann vom anderen Argument überzeugen, bis eine alte Frau erklärte, dass das Feuer sie ruhig verbrennen könne, wenn es wolle. Sie sei nicht vor der Pest davongelaufen und werde auch nicht vor dem Feuer davonlaufen. Zu guter Letzt blieben jedoch nur wenige in ihren Häusern. Die meisten suchten Zuflucht in der Kirche von St. Dominic, weil sie das Gefühl hatten, dass sie in der Menge besser aufgehoben seien und man sich gegenseitig schnell warnen könne, wenn Gefahr drohe. Dorthin hatten wir uns mit unserem kostbaren Besitz (darunter Kitty) begeben und versucht, es uns auf den harten Kirchenbänken so bequem wie möglich zu machen. Brüderlich teilten wir unser Essen mit den anderen und sangen ein paar alte Lieder, um uns aufzumuntern. Einige der Männer hielten die ganze Nacht lang Brandwache.

Am vergangenen Abend hatte ich nichts von Tom gehört, tröstete mich jedoch ein wenig mit dem Gedanken, dass ein Nachbar mir erzählt hatte, der Bartholomäus-Jahrmarkt sei wegen des Brands seit Samstag geschlossen und der größte Teil des fahrenden Volks sei bereits weitergezogen. In meinem Herzen spürte ich, dass die Liebe, die wir füreinander empfanden (zwar ohne sie als solche zu benennen, doch ich spürte, dass es Liebe war), bedeutete, dass wir einander wiedersehen würden – denn wir hatten einander doch bestimmt nicht umsonst erst verloren und dann wiedergefunden, oder?

Als ich mich auf der Kirchenbank bewegte und meinen steifen Nacken rieb, hörte ich ein Kratzen aus Kittys Korb zu meinen Füßen. Es war jedoch sehr dunkel, weil keine Kerzen brannten, und ich wagte nicht, den geschlossenen Deckel zu öffnen, weil sie davonlaufen und sich in irgendeiner Ecke der Kirche verstecken könnte und wir sie niemals wiedersehen würden.

Ich glaube, dass ich kurz vor dem Morgengrauen einschlief, doch als ich aufwachte, weil jemand rief, es sei acht Uhr morgens, war es wegen des dichten Rauchs, der uns umgab, immer noch dunkel. Einen Augenblick lang wusste ich nicht, wo ich war, dann sprang ich mit einem Satz auf. Ich sah, dass Anne bereits wach war und Kitty eine Tasse Milch gab. Es war ebenfalls frisches Brot geliefert worden, weil der König angeordnet hatte, dass alle Bäcker, die noch arbeiteten, für diejenigen backen sollten, die ohne Heim und Herd waren.

Während wir aßen, kamen Passanten vorbei und erzählten, bis wohin das Feuer jetzt vorgedrungen war, was abgebrannt und was verschont geblieben war und dass in den Geschäften gekämpft und geplündert wurde. Am Tag zuvor hatten Anne und ich gesehen, dass der Brand bis zum Bridewell-Gefängnis vorgedrungen war. Inzwischen standen seine Mauern, die zu unerschütterlich waren, um ganz und gar einzustürzen, vom einen Ende zum anderen in Flammen. Dort hatte das Feuer auf die andere Seite der hohen Stadtmauer übergegriffen, raste nun in Richtung Westen die Fleet Street hinunter und vertilgte auf seinem Weg die vornehmen Häuser der Kaufleute, die Tom und ich am vergangenen Sonntag gesehen hatten.

Der Wind trieb das Feuer immer noch in den Norden und den Westen der Stadt; in Richtung Osten war es nur zwei Straßenzüge weiter als die Pudding Lane gekommen, wo es ausgebrochen war (entweder, weil ein Bäcker es nicht geschafft hatte, seinen Ofen richtig auszumachen, oder weil ein Fremder den Brand gestiftet hatte, das wussten wir nicht). Die einzig gute Nachricht, die uns erreichte, war, dass die London Bridge bislang verschont geblieben war, weil das Feuer nur vier Streben weit gekommen war, bis es auf eine Lücke zwischen den Häusern stieß und aufgehalten wurde. Doch es brannte überall am Ufer und auf den Kais, und der Tower von London schwebte in großer Gefahr, Feuer zu fangen.

»Die wilden Tiere des Königs in der Menagerie brüllen so laut, dass sie den Teufel wecken könnten!«, erzählte ein junger Mann mit verrußtem Gesicht und versengtem Haar atemlos. »Niemand traut sich in ihre Nähe – und man kann sie nicht an einen anderen Ort bringen.«

»Kann man ihnen denn nicht irgendeinen Lecksaft oder Kräuter geben, um sie einzuschläfern?«, fragte jemand.

Der junge Mann schüttelte den Kopf. »Das Feuer wütet überall um sie herum, und in ihren Käfigen ist es furchtbar heiß – niemand hält es lange genug in der Hitze aus, um in ihre Nähe zu kommen. Die wilden Tiere wandern auf und ab und werfen sich vor lauter Verzweiflung immerzu gegen die Käfigstäbe.«

»Aber was ist, wenn das Feuer ihre Käfige abbrennt

und sie entkommen?«, fragte ihn eine Frau ängstlich. »Dann laufen überall Menschenaffen und Tiger durch die Straßen.«

Der junge Mann schüttelte den Kopf. »Davor würden sie bei lebendigem Leibe verbrennen«, sagte er, »wenn der Rauch sie nicht jetzt schon erstickt hat.«

»Dann wünsche ich den armen Viechern ein schnelles, schmerzloses Ende«, sagte die Frau. »Die Tiere müssen ja vor Angst alle schier wahnsinnig werden.«

Bei diesen Worten hoben Anne und ich Kitty auf der Stelle hoch und setzten sie wieder in ihren Korb. Durch die Pest hatte ich unsere Katze Miau verloren, jetzt wollte ich nicht auch noch durch das Feuer Kitty verlieren.

Als unsere Nachbarn die Kirche nach und nach verließen – entweder um nach Hause zu gehen oder um sich in Sicherheit zu bringen –, begannen wir uns Gedanken zu machen, was wir als Nächstes tun sollten. Wir hatten nicht alles aus dem Geschäft mitgenommen und fragten uns, ob wir versuchen sollten, einen Karren zu bekommen, um unser Bett und unsere wenigen Möbel zu holen und sie in die Kirche in Sicherheit zu bringen. Doch als wir einen Blick hinauswarfen, wurde uns schnell klar, dass es uns niemals gelingen würde, irgendein Transportmittel zu ergattern, weil alles, was Räder hatte, bereits unterwegs war und die Straßen sich in ein einziges heilloses Durcheinander verwandelt hatten.

»Glaubst du, dass Mutter von dem Feuer gehört hat?«, fragte Anne.

»Ganz bestimmt«, sagte ich. »Die Rauchwolke über London soll noch aus fünfzig Meilen Entfernung zu sehen sein.«

»Sie wird sich Sorgen machen…«

Ich nickte, doch es bestand keinerlei Möglichkeit, unsere Familie wissen zu lassen, dass mit uns alles in Ordnung war, denn wir hatten gehört, dass das Posthaus in der Nacht abgebrannt war.

Ein Geräusch draußen schreckte mich auf. »Hör mal!«, sagte ich und griff nach Annes Hand. »Was ist das?«

Sie zuckte die Achseln.

»Das Feuer!«, sagte ich. »Ich könnte schwören, dass es das Feuer ist.«

Sie legte den Kopf zur Seite und schloss die Augen. »Ja!«, sagte sie. »Es bullert wie Vaters Ofen – und es hört sich so an, als würden Mauern einstürzen.«

Ich schluckte laut. »Und als würde Holz krachen und Leute schreien.« Ich begann unsere Sachen zusammenzusammeln. »Es kommt in unsere Richtung, wir müssen weg von hier«, sagte ich und bemühte mich, ruhig zu klingen, obwohl mein Herz wie wild klopfte. »Vielleicht gibt es einen furchtbaren Ansturm von Leuten, die in letzter Minute versuchen, aus der Stadt zu fliehen, und wir müssen zu den Toren kommen.«

»Was ist mit den Dingen, die wir im Geschäft gelassen haben?«, fragte Anne. »Und was ist mit unserem Bett?«

»Vergiss es!«

Auf der Straße erklang ein plötzlicher Aufschrei und ein stark schwitzender Mann, dessen Gesicht voller Brandblasen war, stürzte in die Kirche.

»Cheapside ist dem Feuer zum Opfer gefallen!«, rief er den wenigen zu, die noch da waren. »Cheapside ist gefallen!«

Bei diesen Worten schrien alle vor Verzweiflung auf, und Anne warf mir einen fragenden Blick zu. »Das ist die Straße, die von Newgate in die Innenstadt führt«, sagte ich ihr. »Die große Straße, auf der die Könige fahren und wo alle reichen Gold- und Silberschmiede ihr Geschäft haben.«

»Hat denn keiner versucht, Cheapside zu retten?«, fragte jemand den Mann.

»Wie kannst du es wagen, du verdammter Schweinehund!«, explodierte der Mann mit den Brandblasen. »Wir haben die ganze Nacht lang geschuftet, um eine Schneise zu schaffen, aber die Südseite der Straße hat Feuer gefangen und alle Häuser sind eingestürzt und haben Feuerbrände auf die andere Seite der Schneise geschickt, so dass der Norden ebenfalls Feuer gefangen hat!« Seine Stimme verwandelte sich in etwas, was sich wie Schluchzen anhörte. »Die gemalten Schilder sind abgefallen, die Fensterscheiben zerborsten, die Steine haben nachgegeben, und dann sind die gewaltigen Fachwerkdächer eingestürzt und haben mit ihren

Flammen den Himmel erleuchtet. Londons schönste Straße ist dem Erdboden gleich, und es wird sie nie mehr geben!«

Danach zögerten wir nicht länger, sondern nahmen unsere Schachteln, Körbe und Bündel und verließen die Kirche in aller Eile. Draußen hing dichter Rauch und es war sehr schwer voranzukommen, ohne zu stolpern und zu fallen, weil die Straßen voll waren von zurückgelassenen Möbelstücken und Bündeln. Ständig wurden wir von denen angerempelt, die Möbel auf dem Rücken trugen, oder aus dem Weg geschubst, damit Karren vorbeifahren konnten. Wir schlugen uns durch herabregnende Funkenschauer und hatten Schwierigkeiten zu atmen, weil wir bei jedem tiefen Atemzug husten mussten oder fast erstickten.

Anfangs wandten wir uns einfach nur dorthin, wo die Menschenmassen hingingen, doch dann hielt ich inne, um zu überlegen, zu welchem Stadttor wir am besten gehen sollten. Wir wussten, dass die Flammen in der Nähe von Ludgate über die Stadtmauer gesprungen waren und der Brand nun durch Cornhill fegte und sich in Richtung Newgate fortbewegte, also schien es mir am besten, wenn wir uns nach Moorgate aufmachten und von dort aus nach Moore Fields in Sicherheit brachten. Dementsprechend wandten wir uns an der nächsten Ecke in diese Richtung, doch nachdem wir eine kurze Strecke zurückgelegt hatten, wurde uns (wie so vielen anderen vor uns) klar, dass die Dinge, die wir mit uns trugen, uns stark behinderten. Den Korb, in dem Kitty saß, wollten wir natürlich in jedem Fall behalten, und es hätte mir sehr Leid getan, mein grünes Taftkleid und die Segeltuchtasche zurückzulassen, doch wir entschieden uns, die zwei Schachteln mit den Küchenutensilien zurückzulassen, weil man sie mit Leichtigkeit ersetzen konnte und sie nicht sehr wertvoll waren. In diesem Moment sah ich, wie eine Frau schreiend die Straße entlangrannte, ihr langes Haar stand lichterloh in Flammen, weil ihr ein brennender Gegenstand auf den Kopf gefallen war. Ich band schnell meine Locken straff zurück und bat Anne, sie mit einem Tuch zu bedecken. Zwar mochte ich rotes Haar nicht besonders, aber ich war immer noch lieber rothaarig als kahl.

Nachdem wir unsere Küchenutensilien in einer anderen Kirche zurückgelassen hatten, kamen wir etwas besser voran. Doch wir waren immer noch vom ständigen Tosen des Feuers, das uns auf den Fersen war, umgeben, von einem Sturm von Funken und Feuerbränden, die um uns herumstoben, und den Schreien der Leute: »In der ganzen Stadt gibt es kein Wasser mehr!« – »Guildhall ist ein einziges Flammenmeer!« – »Das Wasser im Fleetgraben ist kochend heiß!« Jede neue Meldung versetzte uns noch mehr in Panik.

Als wir uns Moorgate näherten und ich die Menschenmassen sah, die aus den umliegenden Straßen dort zusammenströmten, verlor ich allmählich die

Hoffnung, dass wir rechtzeitig aus der Stadt herauskommen würden.

»Im Tor hat sich eine Kutsche mit einem Karren ver-
keilt, der hereinwill!«, erzählte uns eine Frau. »Wir
sind schon fast eine Stunde hier, ohne dass sich etwas
getan hätte.«

Bei diesen Worten stieß ich einen tiefen Seufzer aus,
weil ich mich für Anne verantwortlich fühlte. »Ich
fürchte, wir haben uns das falsche Tor ausgesucht«,
sagte ich zu ihr. »Ich wünschte, ich hätte mich für
Cripplegate entschieden.«

»In Cripplegate sind große Kämpfe«, sagte die Frau.
»Ich habe gehört, dass dort zwei Menschen wegen einer
Büchse voll Goldmünzen niedergestochen wurden.«

»In Bishopsgate gibt es mehr Leute, die versuchen,
in die Stadt zu gelangen, um Dinge zu retten, als …«,
begann ein anderer, doch mehr hörten wir nicht, da
auf einmal ein lautes Dröhnen ertönte. Offenbar hatte
irgendetwas beim Tor nachgegeben, denn die Menge
vor uns machte einen Satz nach vorn und Annes Hand
wurde mir entrissen.

»Halt Kittys Korb gut fest!«, schrie ich ihr zu.
»Alles andere ist unwichtig. Geh nach Moore Fields,
bleib in der Nähe der Stadtmauer und ich werde dich
finden!«

Ich war zuversichtlich, dass Anne es durch das
Stadttor schaffen würde, denn ich drehte mich um, als
die große Menschenmasse sich teilte und die einen in
die eine Richtung, die anderen in die andere gedrängt

wurden, und sah, dass sie einfach von der Masse durch das Tor fortgeschoben wurde. Ich betete darum, dass ihr nichts zustieß, doch ich hatte keine Ahnung, ob Gott uns noch erhörte.

Jetzt kam die schlimmste Zeit für mich, weil ich von der Horde, die in die Stadt hineinströmte, mitgerissen wurde. Nachdem mir alle Luft aus den Lungen gepresst worden war und ich nicht mehr schreien und kaum noch atmen konnte, wurde ich unsanft herumgeschubst. Schließlich wurde ich zu Boden gestoßen und niedergetrampelt. Einigen anderen um mich herum erging es nicht besser, doch ich hatte nicht das Gefühl, dass das in böser Absicht geschah, sondern dass die Menge in Panik geriet und die Schwächsten die Folgen zu tragen hatten.

Nachdem der größte Teil der Leute an mir vorübergezogen war, blieb ich dort liegen, wo ich gelandet war, betastete meine Gliedmaßen eine nach der anderen, um festzustellen, wo ich Verletzungen erlitten hatte, und kam zu dem Schluss, dass ich keine Knochenbrüche, sondern nur lauter Blutergüsse und Schürfwunden abbekommen hatte. Allerdings war mein grünes Taftkleid verschwunden, ebenso wie meine Segeltuchtasche. Ich vermisste auch ein Umhängetuch, das ich mir um die Schultern gelegt hatte, sowie einen meiner Schuhe, aber – ich griff schnell nach meinem Hals und atmete erleichtert auf – mein silbernes Medaillon war noch da, und die Börse, in der wir unser Geld aufbe-

wahrten, steckte ebenfalls noch unter meinen Unterröcken.

Als ich mich mühsam wieder aufrappelte, kam eine
junge Frau mit zerzaustem Haar und Schlammsprit-
zern im Gesicht auf mich zu, setzte sich neben mich
und begann zu weinen.

»Ich habe alles verloren!«, sagte sie. »Mein kleines
Haus ..., mein Mann ..., alles ist den Flammen zum
Opfer gefallen, die gewütet haben, als habe sich der
Höllenschlund aufgetan!«

Ich konnte ihr nicht antworten, so benommen und
zu Tode erschöpft war ich.

»Wir dachten, dass wir in Sicherheit wären, doch
dann fiel das Feuer über uns her wie ein flammendes
Schwert vom Himmel! Mein Mann blieb da, um es zu
bekämpfen, und ich sah, wie er von den Flammen ver-
zehrt wurde.«

»Das ... Das tut mir Leid«, sagte ich und versuchte
weiterhin, mich aufzurichten.

»Seine Kleider, seine Haare, sein Gesicht – alles
brannte lichterloh!« Ihr Gesicht näherte sich meinem,
und sie lächelte lieblich. »Gott hat ihn als Engel aus-
erwählt und ein läuterndes Feuer um ihn herum ange-
facht!«

Nun kämpfte ich noch verbissener, endlich auf die
Beine zu kommen, weil ich wusste, dass diese Frau ver-
rückt war, und ich nichts mit ihr zu tun haben wollte.
Ich wollte mich außerhalb der Stadtmauern auf die
Suche nach Anne machen. Als ich schließlich auf wack-

ligen Beinen stand, ließ ich die Frau weinend am Stra-
ßenrand zurück und machte mich auf den Weg, wobei
ich glücklicherweise meinen fehlenden Schuh sehr
bald wiederfand.

Da ich merkte, dass ich inzwischen ein Stück weit
von Moorgate entfernt war, hielt ich es für das Beste
zu versuchen, mich zu einem Stadttor im Osten der
Stadt durchzuschlagen, wohin – soweit ich wusste –
der Brand noch nicht gelangt war. Wenn ich es schaffte, bei Bishopsgate aus der Stadt herauszukommen,
könnte ich mich von dort aus nach Moore Fields aufmachen.

Das war jedoch nicht so einfach, denn durch den
dichten Rauch, der überall hing, konnte ich kaum die
Hand vor Augen sehen, und da ich weder die Gassen
erkennen (weil ich nicht oft in dieser Gegend gewesen
war), noch die Sonne sehen konnte, war es mir nicht
möglich herauszufinden, welche Richtung ich ein-
schlagen musste. Einige der Straßen, durch die ich gehen wollte, waren von den Banden von Männern gesperrt worden, die sich zusammengetan hatten, um
den Schilling des Königs zu verdienen, oder man kam
nicht durch, weil sie voller weggeworfener Gegen-
stände oder Trümmer lagen. Ich verknackste mir den
Fuß und schnitt ihn mir an scharfkantigen Steinen,
einmal wurde mir schlecht vom Husten, und dann
wiederum fügte mir ein entlaufenes Pferd mit einem
Karren, der erst zu dicht an mir vorbeifuhr und dann
umkippte, schlimme Schürfwunden zu. Hinzu kam,

dass meine Augen furchtbar brannten und ich immer, wenn ein Funkenregen drohte, mich in Brand zu setzen, stehen bleiben musste, um meine Röcke auszuschütteln.

Ich suchte nach Wahrzeichen, an denen ich mich orientieren könnte, stellte aber fest, dass viele von ihnen verschwunden waren. Und als ich glaubte, ich würde auf die Schankstube zu Beginn der großen Straße von Lothbury stoßen, die nach Bishopsgate führte, fand ich anstelle dessen dort, wo Gebäude gestanden hatten, nur einen großen Trümmerhaufen vor, weil die Häuser mit Haken eingerissen worden waren. Ich fragte nach dem Weg und ob dies in der Tat Lothbury sei, doch die Leute waren zu sehr mit sich selbst beschäftigt, um auf mich zu achten, und ich wurde zwei Mal in die falsche Richtung geschickt und stand einer Flammenwand gegenüber.

Da mir schwindlig war und ich inzwischen alles für ein wenig Wasser gegeben hätte, hielt ich eine Frau mit einer Flasche an und bat sie, mir einen Schluck abzugeben. Sie gab mir jedoch kein Wasser, sondern bezeichnete mich als sorglose, freche Göre, weil ich ohne eigenes Wasser losgegangen war, und sagte, sie brauche jeden einzelnen Tropfen für sich selbst.

Es wurde noch finsterer, der Wind begann zu toben wie ein wildes Tier, und der Rauch über mir wurde von Minute zu Minute dichter. Da ich keine Ahnung hatte, wo ich mich befand und wie spät es war, fing ich an, mich sehr zu fürchten, doch dann kam ich in die

Nähe einiger zerstörter Geschäfte, lief über lauwarme Asche, fand mich plötzlich in der Nähe der Kathedrale von St. Paul wieder und war ungemein erleichtert. Viele Gebäude in der Umgebung der Kathedrale waren bereits dem Erdboden gleichgemacht, und die Flammen leckten immer noch an den Mauern anderer Häuser, doch St. Paul's selbst war auf einer Anhöhe erbaut und schien dort oben ebenso unbezwingbar zu sein wie eine mächtige Burg.

Ich stolperte durch die offenen Kirchentüren und stellte fest, dass unendlich viele andere auch gedacht hatten, sie würden dort Zuflucht finden. Viele von ihnen hatten nicht nur ihr Hab und Gut mitgebracht, sondern auch ihre Tiere, denn zwischen den Holzbänken erblickte ich ein Schwein, einige Hunde und einen Affen. Ganz schwach vor Erleichterung sank ich auf eine Bank nieder, und eine Frau reichte mir eine Tasse sauren Wein und einen harten Keks, was ich normalerweise beides verschmäht hätte, jetzt jedoch dankbar annahm. Ich schlüpfte in eine ruhige Ecke, schloss die Augen und versuchte, mein Herz, das stark klopfte, weil ich sehr lange Zeit in den Straßen umhergeirrt war und mich so erschöpft fühlte wie ein gehetztes Reh, zur Ruhe kommen zu lassen.

Trotz des Lärms in der Kathedrale und auf der Straße schlief ich für ein paar Minuten ein und wachte erst wieder auf, als dieselbe Frau mich kräftig schüttelte und mir sagte, dass ich aufstehen und fliehen müsse.

»Ganz gewiss nicht!«, sagte ich, und meine Augen fielen wieder zu. »Hier sind wir in Sicherheit.«

»Wenn Ihr Euch nicht rührt, werdet Ihr dort, wo Ihr liegt, bei lebendigem Leibe verbrennen!«, herrschte mich die Frau an. »Die Flammen sind auf das Dach übergesprungen, und selbst Sein Haus kann Euch jetzt nicht mehr beschützen.«

Diese Worte rüttelten mich natürlich auf, und zusammen mit ein paar anderen wagte ich mich zu einer der Flügeltüren. Als ich hinausblickte, erkannte ich, dass uns ein Flammenmeer umgab, denn selbst die Gebäude, die bereits verwüstet ausgesehen hatten, brannten nun wieder mit neuer Kraft. Zwischen meinem jetzigen Standort und dem Fluss waren so viele Gebäude zerstört worden, dass ich den ganzen Weg bis zum Ufer von Southwarke schauen konnte, wenn der Wind blies und die Flammen und der Rauch ein wenig weggepustet wurden, und dieser Anblick war sehr seltsam und erschütternd.

Viele von denen, die mit mir zusammen in der Kathedrale untergekommen waren, waren bereits geflohen. Sie hatten ihr Glück versucht und eine Lücke zwischen den Flammen ausgenutzt, um ihr Leben zu retten, und ich wusste, dass ich dasselbe tun musste, wenn ich überleben wollte.

Trotz der furchtbaren Hitze zitterte ich, als ich mich ängstlich umsah. Der dunkle Rauchschleier am Himmel war dichter und, weil das Feuer an allen Ecken und Enden wütete, öliger geworden und brodelte nun wie heißes schwarzes Öl. Plötzlich schossen aus den Tiefen des Rauchs überall gezackte Blitze hervor, und das darauf folgende Donnergrollen ging beinahe in dem furchtbaren Tosen der Flammen und dem Heulen des Windes unter. Anstelle von Regenschauern fielen nun allerdings Schauer goldener Funken herab.

Was immer auf das Dach der Kathedrale von St. Paul gefallen war, muss plötzlich aufgeflammt sein, denn eine der Menschengruppen, die in einer gewissen Entfernung der Kathedrale standen, schrie laut auf, wandte sich geschlossen um und starrte auf das mächtige Gebäude, in das ich mich geflüchtet hatte. Die Menschen erstarrten und zeigten bestürzt auf das Dach.

Ich wusste, dass ich um mein Leben rennen musste, doch überall um mich herum waren Flammen und ich hatte furchtbare Angst, weil das Feuer so sehr glühte, dass ich nicht sehen konnte, wohin ich mich wenden musste, und zudem hatte ich Angst, dass ein Blitz herabkam und mich erschlug. Ich trat drei Schritte vor und zwei zurück, dann wandte ich mich in eine andere Richtung, nur um wieder kehrtzumachen, zu erschrocken, um eine Entscheidung treffen zu können.

Nochmals vier Schritte vor ... und wieder zurück, und ich schrie vor Verzweiflung laut auf, weil ich nicht wusste, was ich tun sollte. Tränen liefen mir übers Gesicht, denn ich hatte das Gefühl, dass ich dazu verdammt war, in dieser Kirche umzukommen und Tom und meine Familie niemals wiederzusehen.

In diesem Augenblick, als ich am niedergeschlagensten war, hörte ich die Stimme, die mich rettete.

»Mistress!«, rief jemand. »Hannah!«

Ich wischte meine Tränen ab und erblickte im Licht der näher kommenden Flammen die Silhouette eines Burschen, der mit einem kleinen, voll beladenen Karren vor sich dastand. »Wer ist da?«, rief ich.

»Ich bin es, Hannah. Bill!«

Doch das sagte mir nichts und ich konnte immer noch nicht sehen, wer mich da rief, weil die Flammen mich genauso blendeten, als würde ich direkt in die Sonne schauen.

»Könnt Ihr Euch nicht an mich erinnern? Bill, Lord Cartmels Stiefelknecht!«, rief die Gestalt. »Springt auf meinen Karren, Mistress!«

Mein umnachtetes Hirn begriff immer noch nicht, wer sich da an mich wandte, und ich wankte und schwankte und wäre noch auf das schwelende Gras gefallen, wenn der Bursche nicht seinen Karren losgelassen hätte und zu mir gestürzt wäre. Er griff mir eilig unter die Arme, zerrte mich zum Karren, warf einen Haufen Bücher hinunter und mich ohne weitere Umstände hinauf. Ich hielt mich fest, so gut ich konnte, und er begann mich über die Pflastersteine und die Trümmer von der Kathedrale von St. Paul wegzuschieben, schneller und schneller, bis ich laut schrie, er solle stehen bleiben, damit ich verschnaufen könne. Doch selbst das brachte ihn nicht dazu anzuhalten, und er machte erst dann eine Pause, als wir einen sicheren Ort weit weg vom Feuer erreicht hatten.

Von dort deutete er atemlos und kopfschüttelnd auf St. Paul's, und ich setzte mich im Karren auf und konnte die Flammen sehen, die sich über den Rand des hohen Daches der Kathedrale hinausstreckten und in alle Richtungen schossen und alles in der Umgebung in Brand setzten. Die Flammen leuchteten in unterschiedlichen Farben, je nachdem, was sie gerade verbrannten: Rot, Orange, Gelb, Weiß und Gold, und reckten sich alle der dichten Feuersturmwolke am Himmel entgegen. Innerhalb weniger Augenblicke stürzten große Teile des Dachs, Steine und brennende Balken in das Gebäude hinein und die ganze Kathedrale verwandelte sich in einen einzigen tosenden Feuerkessel.

Fassungslos sahen wir zu, wie dieser rasende Feuersturm begann, das Bleidach der Kathedrale zu schmelzen, das bald spritzend und aufleuchtend in silbernen Strömen herabfloss und alles, was es berührte, in pfeilschnelle Flammenspeere verwandelte. Plötzlich, mit einem Knall wie von einem Pistolenschuss, zerbarsten die großen Fenster, und Flammen schossen heraus. In diesem Moment wurde das große Feuer so heiß und leuchtete so hell, dass wir weiter weggehen mussten, obwohl wir bereits ein Stück weit entfernt waren, weil unsere Haut sonst Brandblasen bekommen hätte.

Schließlich blieben wir, beide vollkommen erschöpft, auf einer großen Durchgangsstraße stehen, wo die Hitze des Feuers uns nicht mehr erreichen konnte, und ich wusste, dass Bill, der Stiefelknecht Lord Cartmels, mir tatsächlich das Leben gerettet hatte. Als mir das klar wurde, fasste ich mir ein Herz, schloss ihn in die Arme und dankte ihm schluchzend dafür, dass er mir das Leben gerettet hatte, weil ich wusste, dass ich nicht den Mut aufgebracht hätte, aus eigener Kraft durch das Flammenmeer zu rennen und mich in Sicherheit zu bringen.

»Was *tust* du denn hier überhaupt?«, fragte ich ihn, nachdem ich ihm ausgiebig gedankt hatte.

»Eine Menge Geld verdienen!«, antwortete er. »Ich bin ein Lasttier mit einem Karren, den man mieten kann, und ich habe den Herrschaften zwei Pfund pro Ladung abgenommen, um ihre Möbel und Schätze außerhalb der Stadt in Sicherheit zu bringen.« Er grinste mich mit seinem verrußten Gesicht an. »In den letzten zwei Tagen habe ich ein kleines Vermögen gemacht!«

»Und wo ist dein Herr?«

»Ach, der hat sich bei den geringsten Anzeichen von Gefahr nach Dorchester abgesetzt und mich und zwei Lakaien zurückgelassen, um sein Haus auszuräumen.« Er rieb sich die Hände. »Und ich sage Euch, Mistress, ich bin ein gemachter Mann! Ich habe in den letzten zwei Tagen genug Geld verdient, um den Rest meines Lebens im Luxus zu schwelgen!«

Er zwinkerte mir zu, und ich wusste, wohin seine Gedanken wanderten, und wollte ihn davon ablenken. »Bill«, flehte ich ihn an, »könnte ich dich noch um eine Sache bitten? Ich muss meine Schwester finden. Ich habe ihr gesagt, ich würde sie bei der Stadtmauer in Moore Fields treffen, doch ich habe keine Ahnung, wie ich dort hinkommen soll.«

»Das ist ganz einfach«, prahlte er. »Den Weg kenne ich in- und auswendig, weil ich ihn inzwischen mindestens fünfzig Mal zurückgelegt habe. Aber wir werden nicht über Moorgate gehen, sondern über Aldgate im Osten.«

Und so machten wir uns in einem ruhigeren Tempo auf den Weg durch die Stadt – ich saß die ganze Zeit auf dem Karren, wie ein Schwein, das zum Markt gebracht wird, weil Bill mich keinen Schritt gehen lassen wollte – und blieben nur noch ein einziges Mal stehen: als plötzlich im Westen ein furchtbarer Lärm ertönte und einen Augenblick später die ganze Stadt so hell leuchtete wie die Sonne zur Mittagszeit.

»Das war die Gruft unterhalb der Kathedrale von St. Paul«, sagte Bill mit grimmiger Miene. »Die Buchhändler haben sie mit ihren kostbaren Papieren und Büchern voll gepackt, und jetzt ist das Feuer dort unten angekommen und alles ist in Flammen aufgegangen.«

Nachdem wir das Bild betrachtet hatten, das die tosende und hell erleuchtete Stadt uns bot – die großen Trümmerhaufen, die aufgetürmte Asche, die verkohlten Gemäuer und, irgendwo in der Nähe, kräftige Eichenbalken, die aus einer Kirche stammten und so rot glühten wie Kohlen –, setzten wir unseren Weg nach Moore Fields fort. Ich glaube nämlich, dass Bill mich gern möglichst bald an einem sicheren Ort unterbringen wollte, damit er sich weiter darum kümmern konnte, ein Vermögen zu machen.

KAPITEL 12

Moore Fields

»ICH GING ZUM FEUER UND FAND, DASS DURCH
DAS EINREISSEN VON HÄUSERN UND
DANK DER GROSSEN HILFE, DIE DIE ARBEITER
AUS DEN GÄRTEN DES KÖNIGS
DABEI LEISTETEN, GROSSE FORTSCHRITTE
ERZIELT WURDEN …«

*A*ls ich am folgenden Morgen in Moore Fields die Augen aufschlug, sah ich Anne, die ganz dicht neben mir saß und ängstlich auf mich herabblickte.

»Du hast stundenlang geschlafen!«, sagte sie. »Du lagst zusammengerollt da wie eine Katze, und ich wollte dich nicht wecken.«

Ich sah sie verständnislos an, weil es eine Weile dauerte, bis ich mich erinnern konnte, wo ich mich befand und wie ich dorthin gekommen war.

»Aber wenn du wirklich eine Katze wärst, dann wärst du eine sehr dreckige Katze!«, fuhr Anne fort. »Dein Kleid ist schmutzig, deine Haare sind angesengt und verfilzt. Du siehst aus wie ein Schornsteinfeger und stinkst schlimmer als ein Leimsieder.«

Ich setzte mich wie der Blitz auf und sah mich um, weil mir plötzlich einfiel, wo ich mich befand – in dieser hügeligen Landschaft voller Sträucher, wo die Waschfrauen der Stadt ihre Laken hintrugen, um sie auf den Büschen trocknen zu lassen. Doch jetzt hingen keine Laken da, sondern Hunderte, nein, Tausende von Leuten mit ihren Möbeln, Körben, Bündeln, Büchern und Tieren saßen, lagen oder standen dicht gedrängt herum.

»Wie hast du mich bloß gefunden?«, fragte ich Anne erstaunt.

Sie lächelte. »Das war ganz einfach!«, sagte sie. »Gestern Abend habe ich mich den McGibbons angeschlossen, und heute früh im Morgengrauen habe ich ihren sechs Kindern als Erstes erzählt, was du anhast – allerdings konnte ich nicht ahnen, dass dein Kleid sich *so sehr* verändert haben würde. Ich habe dem, der dich findet, eine Tüte voll Zuckerwerk versprochen.«

Ich sah mich nach den McGibbons um, die am Crown and King Place ein kleines Pastetengeschäft ein paar Häuser von unserem Kaufladen entfernt besaßen, doch im Augenblick konnte ich sie in der Menschenmenge nicht entdecken.

»Die Kinder sind gleich im Morgengrauen losgezogen und haben dich innerhalb einer halben Stunde gefunden, weil sie so eifrig in der Nähe der Stadtmauer gesucht haben!«, sagte Anne und schüttelte dann traurig den Kopf. »Allerdings weiß ich nicht, wann ich in der Lage sein werde, mein Versprechen einzulösen …«

Mir stockte der Atem. »Ist denn der Brand bis zu unserem Geschäft vorgedrungen?«

Sie nickte feierlich. »Mistress McGibbon hat mir erzählt, dass das Feuer gestern am späten Nachmittag den Crown and King Place erreichte. Es war zwar eine eingespielte Mannschaft Brandbekämpfer da, die die Häuser hinter den unseren mit Haken abrissen, um zu versuchen, unsere Häuserzeile zu retten, doch die Flammen sind über die Lücke hinübergesprungen und …« Sie hielt inne, als sie sah, dass meine Augen sich mit Tränen füllten, und fuhr erst nach einer Weile fort: »Doch es ist niemand ums Leben gekommen, Hannah. Und sieh mal her!« Sie hob einen Rockzipfel hoch, und da lag Kitty auf dem Gras und schlief tief und fest. Sie trug ein Band um den Hals, dessen Ende an Annes Handgelenk befestigt war.

Ich lächelte, aber es war nur ein sehr kleines Lächeln. Wir hatten alles verloren – alles, außer Kitty und den Kleidern, die wir am Leib trugen, und selbst *die* waren völlig zerfetzt. Wieder einmal legte ich meine Hand schnell an meinen Hals, und mein Lächeln wurde ein bisschen breiter, weil ich mein kostbares Medaillon immer noch trug – außerdem wusste ich, dass mein Geldbeutel immer noch unter meinen Röcken festgebunden war, weil ich die kleine Erhebung, die das Geld bildete, auf meiner Hüfte spüren konnte.

»Aber unser kleiner Laden!«, sagte ich und dachte an das hübsche Schild, die Holzläden und den gekalkten Innenraum. »Unser Geschäft liegt in Schutt und Asche … Was wird Sarah bloß sagen? Sie hat mir die Sorge dafür übertragen.«

»Hannah!«, rief Anne aus. »Sie wird keinen Ton sagen. Sie wird einfach nur froh sein, dass wir beide noch am Leben sind. Und wie hättest du auch unser kleines Geschäft retten sollen, wenn doch die größten Bauten der Stadt den Flammen zum Opfer gefallen sind?«

Ich seufzte und nickte. »Ich habe die Kathedrale von

St. Paul lichterloh brennen sehen«, sagte ich. »Was für ein Anblick das war, Anne: eine riesige Feuerschachtel, die den Himmel taghell erleuchtete. In ihrer Nähe war es heiß genug, um tausend Truthähne zu braten.«

»Alle großen Gebäude sollen abgebrannt sein und Tausende kleinerer Häuser dazu. Auch die Gefängnisse sollen niedergebrannt sein – die armen Insassen wurden angekettet zurückgelassen und sind bei lebendigem Leib verbrannt!«

Ich wandte mich schaudernd ab. »Nein!«

»Aber erzähl mir doch, wie du hierher gekommen bist«, sagte Anne. »Ich bin nämlich in der Nähe der Stadtmauer geblieben, wie du es mir gesagt hast. Ich habe geguckt und geguckt, was für Leute durch das Tor kamen, bis es dunkel war – obwohl es ja wegen der Flammen nicht richtig dunkel wurde –, aber dich habe ich nicht herauskommen sehen.«

»Das erzähle ich dir später, jetzt schaffe ich es einfach nicht«, sagte ich. »Ich bin schier verhungert! Gibt es irgendwo etwas zu essen?«

»Es gibt Schiffszwieback«, sagte Anne, »aber er ist scheußlich hart und schmeckt salzig. Allerdings sollen heute noch ein paar Leute vom Land kommen, um Obst, Bier und Milch zu verkaufen, und der König hat versprochen, dass niemand hungern muss.«

»Wirklich? Wie konnte er so etwas versprechen?«, fragte ich und sah mich auf dem Feld um, denn so weit das Auge reichte, waren Leute in improvisierten Lagern dicht zusammengedrängt. »Die ganze Bevölkerung muss sich an sichere Orte außerhalb der Stadtmauern geflüchtet haben. Wie will er denn ihnen allen Lebensmittel verschaffen?«

Anne zuckte die Achseln. »Ich weiß es nicht. *Er* ist der König, nicht ich.«

Wir saßen sehr lange dort, weil ich mich erschöpft und benommen fühlte – ganz abgesehen davon, dass wir nirgendwo anders hätten hingehen können. Ab und zu bekamen wir zu hören, was zurzeit in Flammen stand, was bereits abgebrannt war und wo es möglich gewesen war, dem Feuer Einhalt zu gebieten. Rauch wehte über die Stadtmauer, wirbelte um uns herum und blieb über uns hängen, und Schmutz und Feuerbrände flogen in der Luft herum und sanken zu Boden. Jenseits der Mauern konnten wir das Feuer tosen und den Wind blasen hören sowie Donnern und Krachen aus unterschiedlichen Richtungen, gefolgt von herunterpolternden Steinen überall dort, wo Häuser mit Schießpulver in die Luft gesprengt wurden.

Doch noch am Nachmittag desselben Tages, einem Mittwoch, verbreitete sich die Nachricht, dass der Wind dabei wäre, sich zu legen. Später hörten wir, dass die meisten Brände gelöscht waren und dass man glaubte, die übrigen unter Kontrolle zu haben.

Diese Neuigkeit machte überall in Moore Fields die Runde, bis sie auch in die hinterste Ecke gedrungen war, doch es kam nur sehr wenig Begeisterung oder Freude auf, weil wir alle furchtbar müde, hungrig und verwirrt waren. Außerdem hatten die meisten von uns ihr ganzes Hab und Gut bereits verloren. Wir nahmen die Nachricht auf und freuten uns darüber, doch wir waren nicht in der Lage, irgendeine Gefühlsregung zu zeigen. Gefühle äußerten sich nur dann, wenn der eine oder andere Bürger, dem irgendein Gerücht zu Ohren gekommen war, behauptete, ein Franzose, ein Holländer oder irgendein anderer Fremder habe den Brand gestiftet, und versuchte, andere aufzuhetzen. Im Lauf des Tages hörten wir viele Geschichten in dieser Art, darunter, dass ein Mann gesehen worden sei, als er brennende Scheite in einen Kaufladen warf und daraufhin von der Menge zerstückelt worden sei. Auch soll eine Frau, die das Feuer vorausgesagt hatte, als Hexe verbrannt worden sein, doch ich weiß nicht, ob diese Geschichten wahr sind.

»Was sollen wir tun?«, fragte mich Anne häufig im Lauf des Tages. »Was soll aus uns werden?«

Jedes Mal, wenn sie das fragte, schüttelte ich den Kopf, weil ich es einfach nicht wusste. Ich fühlte mich weder in der Lage noch auch nur alt genug, mich mit solchen Fragen auseinander zu setzen, und wünschte mir nichts sehnlicher, als dass Sarah bei uns wäre, damit ich keine Entscheidungen zu treffen brauchte.

Anne sah unordentlich aus, aber im Übrigen fast so wie sonst, doch sie schaute mich unentwegt an und lächelte amüsiert über *mein* Erscheinungsbild. Als ich das bemerkte, bat ich sie, mich zu entschuldigen, und borgte mir einen Spiegel von einer Familie, die ihr Lager neben uns aufgeschlagen hatte. Ich war bestürzt, als ich sah, was aus mir geworden war.

»Ich bin ein grindiger, verrußter und dreckiger Bettler!«, sagte ich, drehte und wendete den Spiegel in alle möglichen Richtungen und betrachtete mein Spiegelbild mit Entsetzen.

»Das bist du wirklich«, sagte Anne. »Ich glaube, dass nicht einmal dein Liebster dich erkennen würde.«

»Hast du irgendetwas – ein Stück Stoff oder ein Taschentuch –, mit dem ich mich abwischen könnte?«, fragte ich sie.

Sie schüttelte den Kopf. »Auch keinen Kamm, um dein Haar zu entwirren, oder Seife, um dich zu waschen, oder irgendein Blütenwasser, um den Rußgeruch, der dir anhaftet, zu verdecken.« Als ich protestierend aufseufzte, fügte sie hinzu: »Aber alle sehen so aus, Hannah. Es fällt nicht auf.«

Dass sie Tom erwähnte, stachelte mich an, etwas zu unternehmen, und nach einer Weile riss ich ein Stück von meinem Hemd ab, ging außen ums Feld herum und befeuchtete es in einem Bach. Anne sagte mir, wo ich am dreckigsten war, und ich begann mich zu säubern, so gut ich konnte. Ich konnte weder an meinen versengten Augenbrauen etwas ändern noch an dem blauen Fleck auf meiner Wange oder an meinem Haar, das sich, zu meinem Leidwesen, in eine große rote Wolke verwandelt hatte. Doch es gelang mir, allen Schmutz von meinem Gesicht zu wischen, und ich fühlte mich um vieles besser – obwohl ich nicht wirklich so viel besser aussah.

Nach und nach sah man Leute mit Tabletts voll Essen aus dem Lagerhaus der Marine herauskommen, und alle fingen schon an zu jubeln, doch wie sich herausstellte, war auf den Tabletts nur noch mehr harter Schiffszwieback, den niemand mochte. Anne und ich nahmen trotzdem welchen und zerkrümelten, nachdem wir selbst etwas davon gegessen hatten, den Rest für Kitty, und sie nahm ihn dankbar an. Andere fütterten ihre Hunde damit, und die McGibbons verfütterten den Zwieback an drei Hühner aus ihrem Hinterhof, die sie klugerweise mitgenommen hatten, und hofften, sich auf diese Art jeden Tag ein paar frische Eier für ihre Kinder zu sichern.

Später am selben Tag hörten wir, der König habe angeordnet, dass die Friedensrichter und Statthalter der umliegenden Grafschaften dafür sorgen sollten, dass alle Nahrungsmittel, die erübrigt werden konnten, und insbesondere Brot, auf der Stelle nach London geschickt wurden und dass zu diesem Zweck genau hinter den verbrannten Gebieten in Smithfield, Bishopsgate und Tower Hill vorübergehend Märkte eingerichtet werden sollten. Zudem wurde angeordnet, dass alle Backstuben in der Stadt, die nicht vom Feuer zerstört worden waren, rund um die Uhr Brot backen sollten und dass zu diesem Zweck extra Getreide zur Verfügung gestellt werden sollte. Diese Brotlaibe wurden später nach Moore Fields gebracht, und es gelang uns, außerdem ein wenig Dünnbier und Milch zu ergattern, und so hielten wir uns am Leben. Oft dachte ich an das Zuckerwerk und Konfekt, die wir im Laden zurückgelassen hatten, und wünschte mir, ich hätte daran gedacht, ein wenig davon in die Tasche zu stecken. Doch andere Ladenbesitzer hatten weitaus kostbarere Dinge zurückgelassen: ganze Ballen Seide, die sie bereits für den Michaelismarkt eingekauft hatten, seltene Bücher, Kisten voller Dufthandschuhe aus Persien, Goldmünzen, die, wie wir gehört hatten, in der Hitze geschmolzen und miteinander verklumpt waren, oder silberne Teller, die dasselbe Los ereilt hatte – also schätzten wir uns glücklich, dass wir nichts weiter als gezuckerte Rosenblüten und kandierte Pflaumen verloren hatten.

Als der Abend kam, versicherte man uns, dass es in manchen Kellern und Lagerhäusern zwar noch brannte, das Feuer sich jedoch nicht weiter ausbreiten würde. Dennoch drängte man uns, vor den Stadttoren zu bleiben, bis die Gefahr ganz und gar vorüber war. Das kam mir ganz gelegen, weil ich immer noch furchtbar erschöpft war und nicht in der Lage gewesen wäre, mich fortzubewegen. Ich wollte einfach nur hier im Gras sitzen und das Gefühl haben, in Sicherheit zu sein, und nicht daran denken müssen, was als Nächstes passieren würde.

Als es Nacht wurde, war es sehr seltsam, inmitten einer so großen Gesellschaft und unter so außergewöhnlichen Umständen einzuschlafen (oder besser gesagt: zu versuchen einzuschlafen). So weit das Auge reichte, war das Feld voller Menschen. Dicht an dicht saßen oder lagen sie beziehungsweise drängten sie sich mit den Dingen, die sie hatten retten können – einem Bündel Anziehsachen zum Beispiel, einem Stuhl oder einem Waschgestell, einem Tuch mit Nahrungsmitteln darin, ihrem Hausschwein oder irgendeinem kleinen Schatz –, auf einem kleinen Fleckchen zusammen. Es gab auch einige, die es geschafft hatten, eine Kerze mitzunehmen, und als die Nacht hereinbrach, leuchteten eine Reihe flackernder Lichter auf, spiegelten sich auf den Gesichtern der Leute und verwandelten das Feld in eine riesige und seltsame Landschaft, wie man sie sich kaum vorstellen konnte.

Obwohl wir furchtbar erschöpft waren, fiel es uns schwer, die Augen zu schließen, weil alles so seltsam war: das Rufen und Jammern der Erwachsenen, Kindergeschrei, Hundegebell – und immer mal wieder von der anderen Seite der Mauer her das entfernte Grollen eines beschädigten Hauses, das gerade einstürzte, begleitet von Schreien oder von Funken, die zum Himmel stoben, wenn ein strohgedecktes Dach plötzlich Feuer fing.

Mit der Dunkelheit kam auch die Kälte, weil Feuchtigkeit vom Boden aufstieg, so dass Anne und ich froren, obwohl wir uns so eng wie möglich aneinander schmiegten. Neben der Kälte drohten noch andere Gefahren, denn die Ungeheuerlichkeit des Loses, das die Stadt ereilt hatte, hatte nichts am grundlegenden

Teil des gemeinen Charakters mancher Leute geändert, und zwielichtige Burschen streunten auf der Suche nach unbewachten Dingen herum, die sie stehlen konnten. In der Tat geschah es einmal, dass ich einschlief, nur um gleich wieder von der Hand eines Burschen geweckt zu werden, die sich unter meinen Röcken an meinem Geldbeutel zu schaffen machte. Ich setzte mich sofort auf und schrie um Hilfe, und er stahl sich schnell in der Dunkelheit davon.

So, nur hin und wieder schlafend, brachten wir die Nacht durch, ohne zu wissen, was aus uns werden sollte.

Am nächsten Morgen herrschte große Aufregung und die Stimmung wurde wieder heiterer, weil der König höchstpersönlich kam, um mit uns zu sprechen. Ein Fanfarenstoß kündigte seine Ankunft an, die Menschenmenge teilte sich, und dann erschien er in Begleitung einiger Höflinge. In einer eleganten Reitjacke auf seinem schönen Rappen sitzend, sprach er über die schwierige Lage, in der sich die Stadt befand.

»Die Strafe, die London getroffen hat, kommt geradewegs von Gott. Ihr könnt gewiss sein, dass keine Franzosen, Holländer oder Katholiken irgendetwas damit zu tun hatten, dass Euch ein solches Leid ereilt hat«, sagte er in klarem und deutlichem Ton. »Ich versichere Euch, dass ich keinerlei Grund habe anzunehmen, dass irgendjemand etwas mit dem Feuer in der Stadt zu tun hatte, und wünsche mir, dass Ihr Euch keine weiteren Gedanken darüber macht. Ich, Euer

König, werde, so Gott will, mit Euch leben und sterben und besonders gut für Euch alle Sorge tragen.«

Von seiner Rede waren wir alle sehr gerührt, und als er sich entfernte, um mit einer anderen Gruppe Menschen zu sprechen, vergossen viele von uns Tränen wegen seiner freundlichen und ritterlichen Absichten (und ich bin mir sicher, dass kein Einziger an seine Affären oder seine Bastarde dachte). Anne war besonders angetan von ihm und sprach bewundernd von seinen fürstlichen Manieren, seinem guten Aussehen und seiner Männlichkeit und sagte, dass sie ihn für den vornehmsten Mann der Welt hielt.

An diesem Nachmittag hörten wir, dass eine Abordnung von zweihundert Soldaten mit Karren voll Schippen und Eimern aus Hertfordshire anrückte, um zu verhindern, dass die restlichen kleinen Brände sich weiter ausbreiteten. In Moore Fields waren alle sehr froh, diese Neuigkeit zu hören, weil wir völlig erschöpft waren und eine große Mattigkeit sich unserer bemächtigt hatte. Ich träumte von nichts anderem als davon, wieder in meiner Schlafstube in Chertsey zu sein, in frischen Kleidern, während Mutter meine Schürfwunden versorgte und mir beruhigende Kamillentränke bereitete. Diese herrliche Vision schien jedoch ebenso weit von der Wirklichkeit entfernt und ebenso unmöglich zu realisieren wie diejenige, die Graf de'Ath zu Beginn seiner Zaubervorstellung versprochen hatte.

KAPITEL 13

Die zerstörte Stadt

»ZU WASSER ZUM PAULS-KAI.
DORT HERUMGELAUFEN UND GESEHEN,
DASS DIE GANZE STADT NIEDERGEBRANNT IST,
UND DIE KATHEDRALE VON ST. PAUL
BIETET MIT DEN EINGESTÜRZTEN DÄCHERN
UND DEM ZERSTÖRTEN CHORRAUM
EINEN TRAURIGEN ANBLICK ...«

Am Freitag und Samstag begann der Rückzug in die Stadt, weil die Trägheit, in die alle verfallen waren, wieder einigermaßen überwunden war und die meisten von uns in der Zwischenzeit sehr neugierig waren, was von London übrig war, nachdem man dem Feuer nun Einhalt geboten hatte, und ob noch irgendetwas von ihrem Zuhause stand oder nicht. Diejenigen, die wieder in die Stadt gingen, wurden gebeten, gut aufzupassen, auf alles zu achten, was verdächtig sein könnte, und jegliche Glut auszutreten, die sie noch sahen, damit es nicht wieder anfing zu brennen.

Einige beschlossen, gar nicht erst in die Stadt zurückzukehren. Sie sagten, dass sie es nicht ertragen könnten, mit eigenen Augen zu sehen, wie ihr Hab und Gut zerstört worden war. Diese Leute machten sich zu Fuß überall dorthin auf, wo sie Freunde oder Verwandte hatten und vielleicht einen Neuanfang machen konnten. Es war nämlich angeordnet worden, dass alle Städte im ganzen Land, große wie kleine, die Londoner Flüchtlinge in Not aufnehmen und willkommen heißen und ihnen auch erlauben mussten, Handel zu treiben.

Ich konnte mich nicht entscheiden, was wir tun sollten. Obwohl ich mich danach sehnte, nach Hause zurückzukehren, wollte ich nicht aus London weggehen, ohne Tom eine Nachricht zu hinterlassen, damit er wusste, wohin ich gegangen war. Außerdem wussten wir, dass wir kaum Chancen hatten, in einer Kutsche oder auf einem Wagen mitgenommen zu werden, und wir konnten uns nicht dazu durchringen, den beschwerlichen Weg nach Chertsey zu Fuß zurückzulegen. Wir waren sehr erschöpft, weil wir in Moore Fields wegen des Lärms und des ständigen Hin und Hers der Menschen um uns herum und weil immerzu Alarm geschlagen wurde, wenn Funken vom Wind über die Mauer geweht wurden, nur wenig geschlafen hatten. Außerdem hatte ich, wenn ich denn schlief, furchtbare Albträume, dass ich wieder auf der Schwelle der Kathedrale von St. Paul stand, von Flammen eingeschlossen und kurz davor, bei lebendigem Leibe zu verbrennen. Jedes Mal wachte ich auf, weil Anne mich schüttelte und mir erzählte, dass ich im Schlaf aufgeschrien hatte, und ich war froh, dass sie es tat, weil ich dem kindlichen Aberglauben anhing, dass ich nie wieder aufwachen würde, wenn ich wirklich einmal davon träumen sollte, dass ich tot war.

Zu guter Letzt beschloss ich (weil Anne darauf drängte), dass wir zum Crown and King Place zurückgehen würden, um zu sehen, ob noch irgendetwas von unserem Geschäft übrig war. Danach würden wir entscheiden, ob wir dableiben und wieder von vorn anfangen sollten. Wir hatten gehört, dass manche Leute bereits primitive Buden oder Zelte auf dem Schutt und der Asche ihrer ehemaligen Wohnstätten aufgestellt hatten und dass einige wenige schon wieder Handel mit Vorräten trieben, die sie außerhalb Londons bekamen.

So verstauten wir Kitty sicher in ihrem Korb und machten uns auf den Weg. Wir durchquerten Moorgate, wo zwei kräftige Wachposten aufgestellt worden waren, um Plünderer aufzuhalten, die mit Diebesgut aus der Stadt herauswollten. Wir wussten, dass im Moment viel gebrandschatzt und geplündert wurde, denn die Schätze, die in die Keller gesperrt, in den Gärten begraben und in den wenigen Häusern, die vom Feuer verschont geblieben waren, zurückgelassen worden waren, waren jetzt jedermann zugänglich. In der Stadt selbst waren ebenfalls Wachen unterwegs, um etwaige Streitigkeiten zwischen den Bürgern und irgendwelchen Fremden zu schlichten, weil die Leute, trotz der Worte des Königs, immer noch nicht genau wussten, wie es zu dem Brand gekommen war, aber unbedingt irgendjemandem die Schuld dafür geben wollten.

Wir hatten zwar bereits von Moorgate aus einen Blick auf den Stadtkern werfen können, doch wir waren nicht auf das Bild der Verwüstung gefasst, das sich uns bot, als wir die Stadtmauern hinter uns ließen und auf die offene Fläche dahinter traten.

Denn das war es: eine offene Fläche. So weit das Auge reichte, angefangen bei den Stadtmauern bis hin zur Themse, lag alles in Schutt und Asche und es war wenig mehr zu sehen als hier und da Haufen von Trümmern und Steinen, die unter einer schmierigen, glitschigen Schicht Asche begraben lagen. Es gab keine grasbewachsenen Plätze mehr, keine gepflasterten Gassen, die sich durch die Stadt wanden, und keine finsteren Durchgänge … London, die schöne Stadt mit ihren hübschen Häuschen, Prachtbauten und alten Kirchen, gab es nicht mehr.

Anne und ich betrachteten das alles, und ich war zu niedergeschlagen, um irgendetwas zu sagen, weil ich noch nie etwas so Trostloses gesehen hatte und es kaum fassen konnte, wie so etwas sich zugetragen haben konnte und dass eine so gewaltige Stadt einfach verschwunden sein sollte.

»Wohin sollen wir denn jetzt gehen?«, fragte Anne schließlich, doch ich schüttelte nur wortlos den Kopf, weil alle Wahrzeichen verschwunden waren und es ohne sie unmöglich schien herauszufinden, wo sich unser Geschäft befunden hatte.

Wir gingen ein Stück weiter, dorthin, wo die Überreste einer Kirche standen, die, da sie aus schwerem Stein gebaut war, dem Feuer einigermaßen standgehalten hatte. Das Dach und die Fenster waren zwar verschwunden (es waren nur noch ein paar Spuren von geschmolzenem und in den Boden in der Umgebung der Kirche eingebranntem rotem und blauem Buntglas zu sehen), doch es waren Überbleibsel der Turmspitze stehen geblieben und zumindest ein Teil von jeder Mauer.

»Welche Kirche ist das?«, fragte Anne.

Ich stand da und sah mich zweifelnd um. »Die Kirche von St. Alphage, glaube ich«, sagte ich, »allerdings kenne ich diese Gemeinde nicht so gut.«

Wir gingen weiter. »Aber wenn sie es ist …«, sagte ich und wies auf zwei große Haufen rauchender Trümmer, »stand dort das Zunfthaus der Tuchmacher … und dort drüben das der Brauer.«

In Gedanken versunken, schwiegen wir noch eine Weile. Um uns herum stiegen an verschiedenen Stellen dünne Rauchsäulen auf. In der Ferne schien grauer, dunstiger Nebel über der Stadt zu hängen, und darin konnten wir ebenso triste Gestalten wie uns erkennen, die sich wie graue Gespenster ihren Weg durch die Asche bahnten. Bei jedem Schritt wirbelten wir lose Asche auf, die uns zum Husten brachte, und Haufen von Staub und Schmutz sammelten sich um jeden verbliebenen Mauersockel. Es gab schwarzen, rußigen Schmutz von dem verbrannten Holz, grauen Schmutz von den zerfallenen Steinen und gelben und roten Schmutz von den Ziegeln, die Feuer gefangen hatten. An den Stellen, wo der Wind den Schmutz im Kreis herumgeweht hatte, war diese Schicht mehrere Zoll dick, und bei diesem Anblick konnte ich mir nicht vorstellen, wie es je gelingen sollte, London wieder sauber zu bekommen.

Anne trat zu mir und nahm meine Hand. »Es gefällt mir nicht«, sagte sie ängstlich. »Sollen wir zu Mutter nach Hause gehen?«

Ich drückte ihre Hand. »Wenn wir es schaffen«, sagte ich. »Aber lass uns erst versuchen, den Crown and King Place zu finden. Nur für den Fall …«

Für welchen Fall, wusste ich allerdings nicht. Für den Fall, dass das Feuer einen Augenblick abgeflaut war und es genau unsere Reihe von Geschäften übersprungen und unversehrt gelassen hatte. Für den Fall, dass eine eingespielte Mannschaft Brandbekämpfer Handspritzen bekommen und sie genau auf unser Geschäft gerichtet hatten, so dass es vom Feuer verschont geblieben war. Manchmal geschahen Wunder, diese Erfahrung hatte ich bereits gemacht.

Von der Kirche von St. Alphage aus schlugen wir uns durch die Ruinen in die Richtung, in der wir unseren Laden vermuteten. Unterwegs begegneten wir einigen kleinen Anzeichen von neuem Leben: Ein Mann hatte aus zwei Brettern einen Tisch gebaut und stand nun dahinter und verkaufte Bier, ein anderer hatte aus ein wenig Segeltuch ein primitives Zelt errichtet und sich auf den Überresten seiner Wohnstätte niedergelassen. Eine Familie schien ebenfalls im Keller dessen zu leben, was einst ihr Zuhause gewesen war, denn die Bodenluke, die den Zugang zum Keller bildete, stand offen, es drangen Stimmen von unten herauf, und ein Kind saß auf der Luke und spielte selbstvergessen mitten in einem Haufen Asche.

Unterwegs hielt uns ein Mann an und erzählte uns, dass dank eines Erlasses des Königs alle Kirchen, Kapellen und anderen öffentlichen Gebäude im Osten der Stadt, die das Feuer unversehrt überstanden hatten, als Aufbewahrungsstätten für alles, was man dorthin brachte, zur Verfügung standen.

Ich dankte ihm, und der Mann ging weiter. »Aber wir haben nichts, was wir zur Aufbewahrung geben könnten«, sagte ich zu Anne.

»Nur Kitty«, sagte sie.

Leute, die die Stelle fanden, wo ihr Haus gewesen war, standen dort herum und machten einen erschütterten und verlorenen Eindruck. Dennoch sah ich nur sehr wenige, die Tränen vergossen, dafür schienen die Menschen zu bestürzt zu sein. Manche hefteten, wenn sie ihre ehemalige Heimstätte fanden, ein Stück Papier an einen verkohlten Holzstab oder hinterließen eine Notiz auf einem Steinhaufen, auf der stand, um welches Geschäft es sich handelte. Andere wiederum hängten ein Stück Stoff oder irgendeinen Gegenstand auf (ich sah erst eine Schreibfeder und später einen Zinnkrug), um kenntlich zu machen, was einmal an dieser Stelle gestanden hatte.

Wir zogen weiter, und indem wir sorgfältig auf die Ruinen der Kirchen und mancher Zunfthäuser achteten, bahnten wir uns unseren Weg durch die Überreste der Stadt zu dem, was noch vom Crown and King Place übrig war. Dort angekommen, betrachteten wir die Stelle, wo unsere kleine Reihe Wohnhäuser und Geschäfte gestanden hatte, und dann wusste ich, dass *kein* Wunder geschehen war. Unser kleiner Laden lag tatsächlich in Schutt und Asche und war zusammen mit allen anderen vollkommen zerstört worden, und das machte mich überaus traurig und niedergeschlagen.

Dort trafen wir auch Mr. Newbery an, der, einen Bierseidel in der Hand, auf einem Holzstumpf im ehemaligen Innenraum seines Ladenlokals saß. Er trug weder eine Perücke auf dem Kopf noch war er richtig gekleidet, sondern er hatte ein altes weites indisches Gewand an, wie es Privatiers zu Hause trugen. Doch dieses war zerrissen, unordentlich und über und über mit kleinen Brandflecken bedeckt, als sei er damit durch einen Funkenregen spaziert.

Er erhob sich schwankend und machte eine kleine Verbeugung. »Aha, Ihr habt also den Weg zurückgefunden«, sagte er so ungezwungen, als würde er uns in seinem Salon empfangen. Ich nickte und starrte ihn an (ich wusste, dass Anne das Gleiche tat), weil sein kahler Schädel mit großen Rußflecken bedeckt war und seine Wangen so aussahen, als seien sie absichtlich mit grauer Asche bepudert. »Ich habe eine ganze Weile gebraucht, um den Weg hierher zu finden, weil alle Schankstuben verschwunden sind und ich keine Vorstellung davon hatte, wo ich mich befand.«

»Haben unsere Nachbarn alle überlebt? Habt Ihr irgendjemanden gesehen?«, fragte ich ihn.

»Ja, einige«, antwortete er. »Es sind nur wenige gestorben.« Und dann fügte er auf seine übliche Art hinzu: »Allerdings habe ich gehört, dass in Bridewell die Flammen derartig heiß waren und so sehr gewütet haben, dass selbst die Toten in ihren Gräbern verbrannt sind!«, und bei diesen Worten konnte ich mir ein Lachen nicht verkneifen.

»Wollt Ihr hier bleiben?«, fragte Anne ihn.

Er nickte. »Ich habe es geschafft, meine Kleidung und einen Teil meiner Ware zu retten und zu einem Freund in Bishopsgate zu bringen. Er hat sie in Kisten gepackt und diese zur Sicherheit in seinem Garten vergraben, doch zum Glück ist der Brand nicht bis dorthin vorgedrungen.«

»Aber wo werdet Ihr wohnen?«, fragte ich ihn.

»Die Soldaten bauen gerade Zelte auf, also werde ich meine Ware holen und so bald wie möglich wieder Handel treiben. Ich will hier sein, um Anweisungen für den Wiederaufbau meines Geschäfts zu geben.«

»Ich verstehe«, sagte ich und bat ihn dann, uns zu entschuldigen, weil wir, wie ich hinzufügte, zu gern wissen wollten, wie es innen in unserem eigenen Laden aussah.

»Ach, es ist nichts davon übrig!«, rief er uns hinterher.

Unser Kaufladen war durch zwei schäbige kleine Behausungen von seinem Geschäft getrennt gewesen. Diese gab es jetzt nicht mehr, und ein halber Stumpf Eichenholz war alles, was von unserem Türpfosten übrig geblieben war. Er war zwar niedergebrannt und verkohlt, doch wir konnten immerhin erkennen, wo sich der Eingang zu unserem Geschäft befunden hatte. Wenn wir mit den Füßen im Schutt auf der Erde scharrten (was wir mit Vorsicht tun mussten, weil die Asche teilweise noch heiß war), konnten wir die Umrisse des Ladens und den Durchgang zum Hinterzimmer erkennen. Seltsamerweise war auch der verbrannte Strunk des kräftigen Rosmarinstrauchs zu sehen, der in unserem Hinterhof gestanden hatte.

Ich kann gar nicht sagen, wie seltsam es sich anfühlte, in unserem Geschäft zu stehen – und zugleich *nicht* in unserem Geschäft, weil es voller Trümmer vom Dach und dem oberen Stockwerk und nach oben hin offen war. Zur rechten Seite hin konnten wir dorthin schauen, wo Mr. Newbery saß und aus seinem Bierseidel trank, und zur Linken sahen wir durch die verwüsteten Häuser hindurch die abgebrochene Turmspitze und die Ruinen unserer Gemeindekirche.

Kitty, die sich eigentlich immer ruhig verhielt, wenn sie in ihrem Korb saß, begann auf einmal zu miauen, als wüsste sie, dass sie zu Hause war, doch wir trauten uns natürlich nicht, sie hinauszulassen.

»Sieh mal! Hier hängt eine Notiz an einer Holzstrebe«, rief Anne plötzlich aus.

»Wirklich?«, sagte ich und trat so schnell zu ihr, dass meine langen Röcke den Staub aufwirbelten. »Lass mal sehen.«

Das kleine Stück Pergament war an eine verkohlte Stütze genagelt, und ich löste es vorsichtig und mit klopfendem Herzen ab, weil ich erkannte, dass die Nachricht in Sarahs sorgfältiger Handschrift verfasst war.

Ich las laut vor:

Wir haben von dem furchtbaren Brand gehört und sind nach London gekommen, und zusammen mit Giles Copperly erwarte ich dich und Anne, um euch nach Chertsey zurückzubringen. Da wir die Kutsche nicht in die Innenstadt mitnehmen können, weil die Straßen alle voller Schutt und nicht befahrbar sind, werden wir auf der Seite von Southwarke bleiben und dort warten, bis ihr bei uns seid. Ich bete zu Gott, dass ihr beide unversehrt seid. Deine Schwester Sarah

Beim Gedanken an meine ältere Schwester, die auf der anderen Seite des Flusses war und sehnsüchtig darauf wartete, von uns zu hören, füllten sich meine Augen mit Tränen, und ich wandte mich ab, um sie mit meinem Rockzipfel abzutupfen.

Anne stieß erst einen tiefen Seufzer aus und zupfte mich dann am Ärmel. »Können wir jetzt bitte gehen?«, fragte sie mich flehentlich und fügte einen Augenblick später hinzu: »Eine Kutsche, die Giles Copperly gehört! Glaubst du, dass Sarah und er verlobt sind?«

Da ich es nicht wusste, schüttelte ich einfach nur den Kopf.

»Es gibt überhaupt keinen Grund, noch länger hier zu bleiben!«, fuhr Anne fort. »Es ist schrecklich, ich hasse es, und *hier* können wir unmöglich Zuckerwerk machen!«

»Ich weiß«, sagte ich und biss mir auf die Lippen. Ich wollte ebenfalls möglichst schnell fort von hier, doch ich wollte nicht gehen, ohne Tom eine Nachricht zu hinterlassen. Als meine Augen auf Sarahs Brief fielen, wusste ich gleich, was ich tun konnte – nämlich dieselbe Methode wie sie anwenden und ein paar Zeilen schreiben, für den Fall, dass er hier vorbeikam.

Natürlich hatte ich keine Feder und wollte mir eine von Mr. Newbery borgen, doch er sagte mir, dass seine zurzeit alle in der Truhe im Garten seines Freundes lägen.

»Dann hänge ich Sarahs Brief eben wieder auf«, sagte ich zu ihm, »das sollte genügen, um klar zu machen, dass wir nach Chertsey gegangen sind. Sollte sich irgendjemand nach mir erkundigen, seid dann bitte so gut und richtet es aus.«

»Das werde ich gewiss tun!«, sagte Mr. Newbery ziemlich feierlich und in einem so komischen Ton, dass ich mich fragte, wie viel Ale er heute schon getrunken hatte.

»Wir hoffen, Euch bald wiederzusehen, Mr. Newbery«, sagte ich, »obwohl ich keine Ahnung habe, wann das sein wird.«

Er winkte mit dem Bierseidel. »Wenn sich noch ein junger Mann nach Euch erkundigt, könnt Ihr gewiss sein, dass ich ihm sagen werde, wohin Ihr gegangen seid.«

Ich hatte mich schon abgewandt, als mein umnebeltes Hirn schließlich begriff, was er gerade gesagt hatte: Wenn sich *noch* ein junger Mann … Sofort fragte ich ihn: »Hat sich denn schon jemand nach mir erkundigt?«

»Vor einer Weile ist ein junger Bursche vorbeigekommen, der recht mitgenommen aussah!« Er nahm einen Schluck von seinem Ale. »Ist in eine Schlägerei geraten, würde ich sagen.«

»Was wollte er denn?« Mein Herz klopfte wie wild, doch ich versuchte, ruhig zu bleiben. War es Tom gewesen? Oder nur Bill? Hatte ich ihm an dem Abend bei der Kathedrale von St. Paul erzählt, wo sich das Geschäft befand?

Mr. Newbery zuckte die Achseln. »Er hat sich nur nach Euch erkundigt, und ich habe ihm gesagt, dass ich Euch nicht gesehen habe, weder tot noch lebendig.«

»Wohin ist er denn gegangen? In welche Richtung?«, fragte ich ungeduldig.

Mr. Newbery wedelte mit seinem Bierseidel herum, und Ale schwappte heraus. »Wer weiß? In Richtung Schutt und Trümmer.« Er lächelte selbstzufrieden. »Es ist nämlich überall voller Schutt und Trümmer!«

Daraufhin ließ ich ihn stehen, rief Anne zu, dass ich gleich wieder zurück wäre, und eilte die Gasse hinauf (so schnell es in den Trümmern ging) bis zur Ecke, wo Doktor da Silvas Geschäft gestanden hatte. Wenn es tatsächlich Tom war, der sich nach mir erkundigt hatte, so dachte ich, und er nicht wusste, wohin er sich wenden sollte, war es gut möglich, dass er zum Laden des Apothekers gegangen war, wo er einmal gelebt hatte.

Dieser war nicht allzu schwer zu finden, weil er

dort gestanden hatte, wo mehrere Gassen aufeinander stießen, deren Verlauf man noch erkennen konnte. Als ich dort, wo ich die Überbleibsel der Apotheke vermutete, die Reste mehrerer schwerer Eisenketten und Vorhängeschlösser fand, mit denen das Geschäft zur Zeit der Pest verriegelt gewesen war, war ich mir sicher, an der richtigen Stelle zu sein. Dieses ganze Eisen lag in einem Klumpen auf dem Boden und war von der Hitze, die darüber hinweggefegt war, vollständig zusammengeschmolzen.

Nachdem ich über Steinhaufen geklettert war, sah ich Tom mitten im Schutt kauern. Er hatte sich an irgendwelche Ziegel angelehnt, die Beine aufgestellt und den Kopf darauf gelegt, und schien meine Ankunft überhaupt nicht zu bemerken.

Bei seinem Anblick rang ich vollkommen entsetzt nach Atem. Er war nicht nur voller Schmutz und Asche, sondern ich konnte durch sein zerfetztes, blutiges Hemd hindurch auch dunkle Blutergüsse auf seinen Schultern und große Schürfwunden auf seinem Rücken erkennen.

»Tom!«, rief ich.

Er hob den Kopf, lächelte mich leise an und schloss die Augen dann wieder. »Verzeih, dass ich nicht aufstehe, Hannah.«

»Was ist dir denn zugestoßen?« Ich streckte die Hand aus, um seine Schulter zu berühren, und er zuckte zusammen. »Bist du von einer Kutsche gestürzt oder …, oder in eine Schlägerei geraten?«

Er schüttelte den Kopf und seufzte erschöpft. »Das ist keine schöne Geschichte«, sagte er und machte eine Pause. »Ich bin von einer Meute gesteinigt worden.« Ich schnappte nach Luft. »Zusammen mit Graf de'Ath – obwohl ich ihn nicht so nennen sollte, weil das nicht sein richtiger Name ist –, und das ist es, weswegen wir in Schwierigkeiten geraten sind.«

Ich sah ihn an und hätte ihn am liebsten in die Arme genommen, weil er so elend aussah, doch ich hatte Angst, ihm wehzutun. »*Gesteinigt?*«

Er nickte und erklärte krächzend: »Wir – ein paar Leute vom Bartholomäus-Jahrmarkt – waren zur Allmende in Islington weitergezogen. Leute von dort hörten davon, dass ein gewisser Graf de'Ath da sei, und weil sie ihn für einen Franzosen hielten, machten sie sich auf die Suche nach ihm und wollten ihn schon mitnehmen und hängen, weil seine Landsleute und er, wie sie sagten, den Brand gestiftet hatten.«

Er holte ein paar Mal langsam Luft, bevor er fortfuhr: »Dann griff ein Soldat ein und hielt sie davon ab, indem er sagte, es gebe keinen Beweis dafür, dass irgendjemand den Brand gestiftet habe, und als Lohn für seine Mühe wurde er mit uns zusammen aus dem Dorf gejagt und mit Steinen beworfen.« Dann hielt er wieder inne, und ich streichelte ihm zärtlich das Gesicht, denn es gab eine kleine Stelle an seiner Wange, auf der kein Bluterguss war.

»Der Graf ist auf ein Pferd gesprungen und davongaloppiert, und der Großteil des Pöbels ist hinter ihm hergerannt. Da blieb mir nichts anderes übrig, als vor dem Rest zu fliehen und hierher zurückzukommen. Ich wusste nicht, wo ich sonst hingehen sollte.«

»Du musst mit uns kommen!«, sagte ich sofort. »Sarah erwartet uns mit einer Kutsche in Southwarke, und wir fahren nach Hause nach Chertsey.«

»Das kann ich nicht …«, wehrte er sich schwach.

»Du musst es tun!«, sagte ich. »Ich bestehe darauf, Tom.« In Gedanken sah ich ihn schon in Chertsey leben. »Du wirst in unserem Dorf bestimmt eine Unterkunft finden. Und später auch eine Anstellung, wenn du willst.«

Er sagte kein Wort, sah mich jedoch so erleichtert an, dass mir wieder die Tränen kamen, weil er mir so Leid tat.

»Und jetzt komm«, sagte ich und legte meine Hand unter seinen Arm, um ihm auf die Füße zu helfen. »Es wird eine großartige Fahrt nach Hause in einer Kutsche und …«

Er stieß einen Schrei aus und hielt seinen Ellbogen umklammert. »Ich fürchte, ich kann mit einem gebrochenen Arm nicht so gut arbeiten.«

»Du kommst schon wieder auf die Beine!«, sagte ich mit vorgetäuschter Fröhlichkeit, denn weil er es geschafft hatte aufzustehen, wollte ich mir meine Bestürzung über den elenden und Mitleid erregenden Anblick, den er bot, nicht anmerken lassen. Sein Arm hing schlaff an der Seite herunter, feine Asche hatte sich auf seine offenen Wunden gelegt, und dort, wo seine Haut zu sehen war, war sie voller blauer Flecken. »Wir werden dir die Wurzel und Blätter von Beinwell besorgen, um deinen gebrochenen Knochen zu heilen, und Liebäugel und Poleiminze für die Blutergüsse und Schnittwunden. Du kennst dich mit Kräutern genauso gut aus wie ich!«

Er versuchte mir zuzulächeln, und es gelang ihm auch beinahe. Dann machten wir uns langsam, mit seinem gesunden Arm um meine Schultern, auf den Weg zum Crown and King Place. Wir kamen an anderen Leuten vorbei, die unter Schock standen, verbrannt, verschmutzt, verwirrt oder benommen waren – oder alles zugleich –, doch keiner von ihnen sagte ein Wort oder sah uns auch nur mit einigem Interesse an, weil alle so mit ihrem eigenen Unglück beschäftigt und davon sehr niedergeschlagen waren.

Am Crown and King Place war Mr. Newbery jetzt nicht mehr zu sehen, doch Anne stand da und sah sich ängstlich um. Als sie bemerkte, in welcher Verfassung Tom war, weiteten sich ihre Augen und sie schnappte nach Luft. »Bist du in das Feuer hineingeraten?«, fragte sie. »Oder was ist dir zugestoßen?«

»Das erzählen wir dir auf dem Weg«, sagte ich und fügte hinzu: »Wir nehmen Tom mit nach Hause. Er kann sonst nirgendwo hin und hat auch keine Arbeit.«

»Vielleicht kann er ja Vater bei seiner Arbeit helfen«, sagte sie. »Er klagt doch immer, dass er zu viel zu tun hat.«

»Vielleicht«, sagte ich und nickte.

Anne wollte schon Toms gebrochenen Arm abstützen, doch ich schüttelte den Kopf. »Kümmere du dich um Kitty, dann kümmere ich mich um Tom.«

Dann ließen wir das, was noch von unserem Geschäft übrig war, hinter uns und machten uns ganz langsam auf den Weg. Wir begegneten anderen, die sich ebenfalls im Schneckentempo fortbewegten und sich erschüttert umsahen. In dem von Asche verschleierten Licht sahen wir alle aus wie gespenstische graue Gestalten, die sich durch eine Einöde aus Trümmern und Steinen schlugen. Zwei Mal bemerkten wir glühende Kohlen und schickten vorbeikommende Soldaten dorthin, damit sie sie austraten, und als wir an den Überbleibseln der Kirche von St. Dominic vorbeikamen, stellten wir fest, dass der Turm eingestürzt war und die großen Bleiglocken ganz und gar geschmolzen waren und zusammen mit den Steinen einen seltsamen hügeligen Klumpen auf dem Boden bildeten.

Auf dem Weg schwankte Tom ein oder zwei Mal und fiel beinahe in Ohnmacht, so dass wir uns setzen mussten, bis er sich wieder erholt hatte. Doch es dauerte nicht allzu lange, ehe wir in Sichtweite der London Bridge gelangten, und ich wusste, dass er es bald geschafft haben würde.

Während wir darauf warteten, dass wir an der Reihe waren, durch den schmalen Durchgang, der auf der Brücke zwischen den Trümmerhaufen gebahnt worden war, zu gehen, schob Anne ihre Hand in Kittys

Korb und zog etwas daraus hervor. »Als ich auf dich wartete, habe ich mich in unserem Geschäft umgesehen und das hier gefunden«, sagte sie.

Ich nahm, was sie mir entgegenhielt, und schnappte vor Überraschung nach Luft. Es war ein Teil des Metallschilds, das über dem Eingang unseres Geschäfts gehangen hatte. Es war geschmolzen und stark zusammengeschrumpft und hatte sich durch die enorme Hitze verzogen, doch ein Teil des Bildes, das darauf gemalt war, war noch zu erkennen. Ich starrte es an und war zwischen Lachen und Weinen hin und her gerissen. »*Zur kandierten Rosenblüte*«, flüsterte ich. »Das soll alles sein, was noch von unserem Geschäft übrig ist.«

Anne zuckte die Achseln und murmelte, sie hätte gedacht, dass ich es behalten wolle, und Tom sah mich mitfühlend an. »London wird wieder aufgebaut werden, und euer Geschäft auch«, versuchte er mich zu trösten. »Und wenn es fertig ist, mache ich euch ein neues Schild.«

Ich lächelte ihn an, weil ich wusste, dass er Recht hatte – in der Tat hätte ich ihm am liebsten einen Kuss gegeben, aber sein zerschundenes Gesicht hielt mich davon ab. Ich spürte, dass mein Schicksal mit Tom verbunden war, aber auch mit London, und eines Tages würden wir zurückkehren, und es würde ein neues Geschäft geben, das *Zur kandierten Rosenblüte* hieß.

Doch jetzt würden wir erst einmal die London Bridge überqueren, Sarah finden und nach Hause fahren...

ANMERKUNGEN ZU DEM GROSSEN FEUER
VON LONDON

Das große Feuer von London begann am Sonntag, dem 2. September 1666, in der Pudding Lane und konnte schließlich am Mittwoch, dem 5. September, bei Sonnenuntergang aufgehalten werden (manche sagen, dass das am Pie Corner war).

DAS JAHR DES TIERES – In der Bibel steht die Zahl 666 für das Tier, das die Fähigkeit hat, Feuer vom Himmel auf die Erde herabzuholen. Bußprediger und Puritaner prophezeiten schon seit langem, dass Gottes Strafe die sündige Stadt London im Jahr 1666 ereilen würde.

SAMUEL PEPYS – Alle Zitate am Kapitelanfang und manche Geschichten, die den Personen des Buches widerfahren, stammen aus Samuel Pepys' *Tagebuch*. Pepys war möglicherweise der bekannteste Beobachter des Brands, und er schrieb sehr ergreifend darüber (er war auch derjenige, der einen ganzen Parmesan in seinem Garten vergrub). Zwei andere Bücher, die ich verwendet habe, sind *The Great Fire of London* von W. G. Bell, das 1926 zum ersten Mal veröffentlicht wurde und äußerst präzise ist, und *Restoration London* von Liza Picard, ein unterhaltsames Buch, das ich wegen der Hintergrundinformationen sehr wertvoll finde.

NELL GWYN war 1666 sechzehn Jahre alt und machte seit einem Jahr als Schauspielerin bei der *King's Company* mit. 1668 wurde sie die Geliebte des Königs und bekam zwei Jahre später ein Kind von ihm. Sie war ausgesprochen attraktiv, sehr witzig und versuchte nie zu verbergen, dass sie aus einfachen Verhältnissen kam. Deswegen war sie beim Volk sehr beliebt.

BARTHOLOMÄUS-JAHRMARKT – Alle Attraktionen und Stände, die erwähnt werden (und noch viel mehr), gab es auf dem echten Jahrmarkt, der alljährlich während der letzten beiden Augustwochen abgehalten wurde. Ich habe mir nur insofern dichterische Freiheit erlaubt, als der Bartholomäus-Jahrmarkt 1666 nicht stattfand, weil man fürchtete, die Pest könne sonst wieder aufleben.

ANZAHL DER TOTEN – Frühen Schätzungen zufolge kamen nur wenige Menschen beim Brand ums Leben, doch inzwischen ist man der Ansicht, dass sehr viel mehr gestorben sein müssen. Allerdings geriet der normale Alltag durch den Brand derartig durcheinander, dass bis drei Wochen danach keine einzige Totenliste veröffentlicht wurde und man somit überhaupt nicht wissen kann, wie viele Menschen in der alles verzehrenden Gluthitze umgekommen sind.

ANZAHL DER ABGEBRANNTEN HÄUSER – Man geht davon aus, dass etwa 15 000 Häuser und Zunfthäuser abbrannten, darunter einige der prächtigsten und schönsten Gebäude der Stadt, sowie rund achtzig Kirchen, einschließlich der Kathedrale von St. Paul. Damals gab es keine Brandversicherungen, und man hatte keinerlei Anspruch auf Schadenersatz für den erlittenen Verlust.

WIEDERAUFBAU – Es dauerte sehr lange, bis wieder eine gewisse Normalität erreicht war (die Kathedrale von St. Paul wurde erst 1711 fertig gestellt), und Baracken und Schänken, die zur Unterhaltung der Arbeiter, die London wieder aufbauen sollten, errichtet worden waren, blieben jahrelang auf den Trümmern stehen. Häuser durften keine auf die Straße hinausragenden Vorderfronten mehr haben, und Gebäude, die einzig und allein aus Holz bestanden, wurden verboten. Außerdem wurden die Straßen breiter angelegt, damit Feuer nicht so leicht von einer Seite auf die andere übergreifen konnte.

DIE PEST – Eine der verbreitetsten Ansichten war, dass das Feuer die Pest vom Vorjahr definitiv »ausgeräuchert« habe. In Wirklichkeit war die Pest in London im September 1666 bereits mehr oder weniger vorbei, doch das Feuer vernichtete tatsächlich viele der schlimmsten schmutzigen, unhygienischen und fürchterlich überfüllten Häuser, in denen die Leute damals lebten (manchmal zu zehnt in einem Zimmer). So konnte die Pest nur schwer noch einmal Fuß fassen.

WER HAT DEN BRAND GESTIFTET? – Im Oktober 1666 wurde ein Franzose namens Robert Hubert gehängt, der gestanden hatte, den Brand gestiftet zu haben, doch seine geistige Gesundheit wurde in Zweifel gezogen, und zudem ist es fraglich, ob er sich zu dieser Zeit überhaupt in England befand. Viele hielten Thomas Farriner, den Bäcker in der Pudding Lane, für verantwortlich, weil er seinen Ofen nicht gut genug überwacht hatte. Andere glaubten, dass Holländer oder Spanier – oder eine bestimmte Gruppe von Katholiken – schuld an dem Feuer waren. Die Londoner Bevölkerung war verzweifelt auf der Suche nach einem Schuldigen, und religiöse oder rassenbedingte Intoleranz gab es auch damals schon.

GLOSSAR

ABORT: von mittelniederdeutsch »afort« – abgelegener Ort. Altertümlicher Ausdruck für Toilette.

ALE: obergäriges, helles englisches Bier.

ALLMENDE: der Teil eines Dorfes, der Gemeineigentum war, gewöhnlich Weide, Wald oder Ödland, das von der Dorfgemeinschaft zur Holznutzung, als Viehweide, zur Schweinemast u. Ä. genutzt wurde.

ANGER: zentraler, im Gemeindebesitz befindlicher Platz innerhalb eines Dorfes, der teilweise als Viehweide diente und auf dem sich der Löschteich befand.

BÄNKELLIED: auf Jahrmärkten seit dem 17. Jahrhundert geübter Vortrag über grauenerregende Vorkommnisse. Beim Singen zeigte der auf der Bank stehende Bänkelsänger auf Bildertafeln, die die geschilderte Katastrophe illustrieren sollten.

BASTARD: früher: uneheliches Kind eines hochgestellten Vaters und einer nicht standesgemäßen Mutter.

BAUCHLADEN: an einem um den Hals gelegten Riemen befestigtes und vor dem Bauch getragenes Brett oder kastenähnlicher Gegenstand, auf dem kleinere Waren zum Kauf angeboten wurden.

BEINWELL (RAUER WALLWURZ): alte Heil- und Gewürzpflanze mit behaarten Blättern und rotvioletten oder gelblich weißen Blüten.

BEUTELSCHNEIDER: veraltet für Taschendieb.

BLATTERN: Pocken.

BLUTFLUSS: Ruhr, Durchfall.

BURGKÖNIGSPIEL: auch Schubshügel genannt. Ein Kind sitzt auf einer Erhebung (zum Beispiel einem Gartentor) und die anderen versuchen, es hinunterzuschubsen.

BUTTERED ALE: Cocktail aus Ale mit Butter, Zucker und Zimt.

DÜNNBIER: alkoholarmes Bier.

ENGELWURZ (ANGELIKA): in Wäldern und auf feuchten Wiesen wachsende Heilpflanze mit gezähnten, gefiederten Blättern und grünlich weißen Blüten. Ihre Wurzeln enthalten appetitanregende, schweiß- und harntreibende Gerb- und Bitterstoffe sowie das krampflösende Angelikaöl.

EBERRAUTE: auch Staubwurz, Zitronenkraut, Amberbaum und Eberreis genannt. Alte, nur noch selten angebaute Gewürz- und Heilpflanze, deren kleine gelbe Blüten nach Zitrone duften.

FAHRENDES VOLK: mittelalterliche Bezeichnung für Nichtsesshafte, die von Hof zu Hof, von Stadt zu Stadt, von Jahrmarkt zu Jahrmarkt zogen und dort ihre Dienste u.a. als Gaukler, Musikanten, aber auch als ☞ Quacksalber und Händler anboten. Das fahrende Volk wurde bis in die Neuzeit als unehrliches Gewerbe eingestuft.

FALSCHE KAMILLE: auch Geruchlose Kamille, Hundskamille und Mutterkraut genannt. Heilpflanze, die etwas höher ist als die Echte Kamille und etwas größere Blüten mit nicht ganz so stark gewölbten gelben, nicht hohlen Köpfchen hat und nicht so intensiv riecht wie die Echte Kamille.

FÄRSE (KALBIN): weibliches Rind, das noch nicht gekalbt hat.

FRIEDENSRICHTER: ☞ Lord Mayor.

GÄNGELBAND: veraltet: Band, an dem man ein Kind beim Laufenlernen führt und festhält.

GALAN: von span. »galano« – höfisch, schön gekleidet. Veraltete, heute noch ironisch verwendete Bezeichnung für einen (herausgeputzten) Verehrer, der sich mit besonderer Höflichkeit und Zuvorkommenheit um seine Dame bemüht.

GIGUE: um 1635 in Frankreich entstandener lebhafter Schreittanz, der im 17. und 18. Jahrhundert weit verbreitet war.

GLACÉHANDSCHUHE: Handschuhe aus Glacéleder, einem besonders feinen, weichen, glänzenden Leder aus den Fellen junger Ziegen oder Schafe.

GOLDFLIEDER: Forsythie.

HABICHTSKRAUT (BITTERKRAUT): Kraut aus der Gattung der Korbblütler mit langen blattlosen Stängeln mit meist gelben, orangefarbenen oder roten zungenförmigen Blüten.

HANDSPRITZE: altes Feuerlöschgerät, auf einem hölzernen Fahrgestell befestigte Feuerspritze.

KAPAUN: kastrierter, gemästeter Hahn.

LECKSAFT: auch Looch, eingedickter Sirup als Arznei, zum Beispiel Hustensaft.

LEIMSIEDER: Klebstoffhersteller.

LIEBÄUGEL: auch Blutwurz, Fingerkraut und Gemeine Ochsenzunge genannt. Alte Heilpflanze mit gelber, vielzähliger Blütenkrone, deren Wurzelstock vor allem als Heilmittel bei Darmerkrankungen verwendet wird.

LORD MAYOR: höchster Beamter der Stadt London, er unterstand direkt dem König. Innerhalb der Stadtmauern war er, zusammen mit der Versammlung der Ratsherren, zuständig für das Erlassen und Einhalten von Verordnungen in Bezug auf die Pest, in den Gemeinden außerhalb der Mauern waren es die Friedensrichter.

METZE: altertümlich für Hure.

MILCHESEL: Esel, dessen Milch von seinem Besitzer verkauft wurde.

MOIRÉ: Stoff mit mattschimmerndem Muster, das feinen, bewegten Wellen oder einer Holzmaserung ähnelt.

MORISKENTANZ: auf Engl. »morris-dance« (von Spanisch »morisca«: Mauren- oder Mohrentanz), seit dem 15. Jahrhundert überliefert, meist mit glöckchenbesetzten Kostümen aufgeführt.

MORITAT: Sonderform des ☞ Bänkelliedes. Wohl durch zerdehnendes Singen des Wortes »Mordtat« entstandenes, von einem Bänkelsänger vorgetragenes Lied mit meist eintöniger Melodie, das eine schauerliche oder rührselige Geschichte erzählt, die zusätzlich auf einer Tafel in Bildern dargestellt wird. Der Schluss des Liedes enthält meist eine belehrende Moral. Für die Zuhörer zum Mitnehmen gedacht ist das Moritatenblatt mit einer ausführlichen Prosadarstellung und dem Liedtext.

MUSSELIN: feines, locker gewebtes Baumwoll- oder Wollgewebe mit besonders weichem Griff und fließendem Fall.

PERÜCKE: In den sechziger Jahren des 17. Jahrhunderts waren Lockenperücken aus falschem Haar, das durch einen Mittelscheitel geteilt wurde, ein wichtiger Bestandteil der Tracht modebewusster Männer. Häufig dienten sie dazu, das eigene schüttere Haar zu verdecken.

PESTHAUS (PESTHOSPITAL): Krankenhaus für Menschen mit ansteckenden Krankheiten.

PESTILENZHAUS: ☞ Pesthaus.

PINT: englische Maßeinheit für Flüssigkeiten. 1 Pint entspricht 0,568 Liter.

POLEIMINZE: früher zur Gewinnung von Menthol angebaute Minze.

POTPOURRI: frz. für »Eintopf«, »bunte Mischung«, hier: Zusammenstellung duftender Kräuter, Blüten und Blätter in einer Schale oder Vase o. Ä.

PRIVATIER: veraltet für Rentner oder jemanden, der ganz oder überwiegend von seinem Vermögen lebt.

PUTZMACHER: Hutmacher.

QUACKSALBER: abwertende Bezeichnung für einen Arzt, der mit obskuren Mitteln und Methoden Krankheiten zu heilen versucht.

QUARANTÄNE: von frz. »quarantaine« – Anzahl von 40 (Tagen). Nach der früher üblichen 40-tägigen Hafensperre für Schiffe mit seuchenverdächtigen Personen. Zeitlich befristete Isolierung von Menschen und Tieren, die eine ansteckende Krankheit haben oder diese möglicherweise übertragen könnten.

REVEREND: Titel und Anrede für einen Geistlichen in englischsprachigen Ländern.

ROYAL EXCHANGE: 1566 von Sir Thomas Gresham erbautes Gebäude, das die erste offizielle Londoner Börse beherbergte und der Antwerpener Börse den Rang als wichtigstes europäisches Handelszentrum ablief. Die Londoner Kaufleute kamen hier täglich zusammen, und das Royal Exchange wurde bald zum Mittelpunkt des britischen Handelslebens. Das Royal Exchange brannte zwei Mal ab und wurde durch neue Gebäude ersetzt.

SATIN (ATLAS): feines Seidengewebe mit glatter, glänzender Oberfläche.

SCHANDGEIGEN (PRANGER, SCHANDPFAHL): Vorrichtung in unterschiedlichen Erscheinungsformen auf einem öffentlichen Platz, an der jemand wegen einer als strafwürdig empfundenen Tat angebunden stehen musste und auf diese Weise der öffentlichen Verachtung ausgesetzt war.

SCHAUSPIELERIN: 1666 durften Frauen und Mädchen erst seit kurzem auf der Bühne auftreten. Zuvor war der Beruf des Schauspielers Männern vorbehalten, die auch die weiblichen Rollen übernahmen.

SCHÖNHEITSPFLÄSTERCHEN: Im 17. und 18. Jahrhundert trugen modebewusste Männer und Frauen so genannte Schönheitspflästerchen im Gesicht und auf den sichtbaren Teilen des Oberkörpers. Sie dienten dekorativen Zwecken, häufig aber auch dazu, Makel zu verdecken.

SCHWEISSFIEBER (SCHWEISSSUCHT): oft tödlich verlaufende, hochgradig ansteckende Virusinfektion, die ihren Namen dem sehr stark fließenden, übel riechenden Schweiß zu verdanken hatte. Sie dauerte nur vier bis zwölf Stunden. Wenn jemand nach vierundzwanzig Stunden noch lebte, hatte er die Krankheit überstanden und erholte sich rasch wieder.

SCHILLING: Zwölf Pence.

SKIFF: Einer (Ruderboot).

SKULLBOOT: Ruderboot, das mit beiderseits von jedem Ruderplatz über die Bordwand ragenden Holmen mit Ruderblättern angetrieben wird, die mit je einer Hand zu bedienen sind.

STANDARTE: persönliche Flagge als Hoheitszeichen eines Staatsoberhaupts.

STATTHALTER: Vertreter des Staatsoberhaupts.

STELZENSCHUHE: Überschuhe mit einer Holzsohle auf einem runden Metallrahmen. Man trug sie, um die eigenen Schuhe und langen Kleider vor dem Schmutz auf dem Boden zu schützen.

TALISMAN: von arab. »tilisman« – Zauberbilder. Kleiner Gegenstand, Erinnerungsstück o. Ä., dem jemand zauberkräftige, glückbringende Wirkung zuschreibt. Talismane waren in der Spätantike weit verbreitet und gelangten im 13. Jahrhundert über Spanien nach Mitteleuropa.

WECHSELBALG: nach früherem Volksglauben einer Wöchnerin von bösen Geistern oder Zwergen untergeschobenes missgestaltetes oder frühgeborenes Kind.

WICKEL: Im 16. und 17. Jahrhundert hielt man es für vorteilhaft, die Bewegungsfreiheit von Neugeborenen einzuschränken, indem man sie fest in Leinen- oder andere Tücher wickelte.

ZOLL: altes englisches Längenmaß. 1 Zoll entspricht 25,4 mm.